Todo es posible

JULIO CHAZARRETA

Pacific Press®
Publishing Association

Nampa, Idaho | Oshawa, Ontario, Canada
www.pacificpress.com

Director editorial: Ricardo Bentancur
Redacción: Alfredo Campechano
Diseño de la portada: Gerald Lee Monks
Ilustración de la portada: Church Promotion & Events Solutions/
Enrique Yacante
Diseño del interior: Diane de Aguirre

A no ser que se indique de otra manera, todas las citas de las
Sagradas Escrituras han sido tomadas de la versión Reina-Valera © 1960
Sociedades Bíblicas en América Latina, © renovado 1988
Sociedades Bíblicas Unidas. Utilizada con permiso.

El autor se responsabiliza de la exactitud de
los datos y textos citados en esta obra.

Puede obtener copias adicionales de este libro en
www.libreriaadventista.com,
o llamando al 1-888-765-6955.

ISBN: 978-0-8163-9135-6

January 2020

Contenido

¡UN CURSO GRATUITO PARA USTED!

Si la lectura de este libro lo inspira a buscar la ayuda divina, tiene la oportunidad de iniciar un estudio provechoso y transformador de las Escrituras, sin gasto ni compromiso alguno de su parte.

Llene este cupón y envíelo por correo a:

La Voz de la Esperanza
P. O. Box 7279
Riverside, CA 92513
EE. UU. de N. A.

✁- - - - - - - - - - - - - - - - - copie o corte este cupón - - - - - - - - - - - - - - - - -

Deseo inscribirme en un curso bíblico gratuito por correspondencia:

❏ Hogar Feliz (10 lecciones)
❏ Descubra (12 lecciones)

Nombre_____

Calle y N°_____

Ciudad_____

Prov. o Estado_____

Código Postal (Zip Code)_____

País_____

Dedicatoria

Este libro está dedicado a la memoria de mi padre,
Julio Alberto Chazarreta.
Dios no pudo haber dispuesto un mejor padre para mí,
que representara tan bien a Jesús como lo hizo Don Julio.

Agradecimientos

A Ricardo Bentancur, por motivarme a escribir.

A Roger Hernández, por proponer mi nombre a la comisión editorial para que escribiera este libro.

A mi grupo del RTM (pastores amigos) por el apoyo que me brindó.

A muchos dirigentes de las iglesias adventistas de habla hispana en Norteamérica.

A mi madre, Marta Noemí Lucero, por todo lo que hizo y sigue haciendo por mí.

Por sobre todas las cosas, a Lourdes Rodríguez, mi esposa, mi correctora, mi editora. Sin ella, este libro nunca hubiera sido posible.

Y, por último, por ser el más importante de todos: A Jesús, quien me regaló las vivencias vertidas en este libro. A él sea la honra y la gloria por siempre.

Introducción

L os seres humanos estamos acostumbrados a aceptar lo que podemos lograr, y a lo que no podemos le llamamos imposible. Tan limitados somos que nos resistimos a creer en lo que no vemos, sentimos ni tocamos. A los hechos que superan la realidad, y que consideramos imposibles, los llamamos milagros.

Dios realiza milagros. Eso que para nosotros es asombroso y para algunos increíble, para él es natural. Cuando el mismo Hijo de Dios adoptó la naturaleza humana, con frecuencia realizaba milagros. La Escritura da fe de estos prodigios diciendo: "Dios ungió con el Espíritu Santo y con poder a Jesús de Nazaret, y cómo este anduvo haciendo bienes y sanando a todos los oprimidos por el diablo, porque Dios estaba con él" (Hechos 10:38).

Al ver a Jesús hacer tales maravillas, la gente decía: "¿Qué sabiduría es esta que le es dada, y estos milagros que por sus manos son hechos?" (S. Marcos 6:2). En los comienzos de la iglesia cristiana, lo imposible seguía siendo realidad por intermedio de los apóstoles. San Pablo escribió que en la iglesia de su tiempo ocurrían "señales, prodigios y milagros" (2 Corintios 12:12).

Dios todavía hace milagros. He visto muchos. Yo mismo estoy vivo gracias a un milagro divino. En este libro te ofrezco ocho relatos de prodigios realizados por el Espíritu de Cristo. Aunque cargados de dramatismo, los relatos no contienen fantasía. No es correcta ni necesaria. La realidad suele ser más dramática que la ficción.

Si te hallas en un callejón sin salida, si te has cansado de vivir, si tu problema ya rebasó el ámbito de lo posible, te identificarás con

Todo es posible

estos personajes cuyos problemas humanos tuvieron solución divina, y conocerás al que puede ganar la victoria sobre tus males.

Doy fe de que lo que vas a leer es cierto. Nadie me contó estas historias, no las leí en un libro. Yo mismo las viví, y vez tras vez entendí que, con Jesús, ¡todo es posible!

Julio Chazarreta

Capítulo 1

Es posible ser transformado

Cuando llegó a donde estaban los discípulos, vio una gran
multitud alrededor de ellos, y escribas que disputaban
con ellos. Y en seguida toda la gente, viéndole, se asombró,
y corriendo a él, le saludaron. El les preguntó: ¿Qué disputáis
con ellos? Y respondiendo uno de la multitud, dijo: Maestro,
traje a ti mi hijo, que tiene un espíritu mudo, el cual,
dondequiera que le toma, le sacude; y echa espumarajos,
y cruje los dientes, y se va secando; y dije a tus discípulos que lo
echasen fuera, y no pudieron. Y respondiendo él, les dijo:
¡Oh generación incrédula! ¿Hasta cuándo he de estar
con vosotros? ¿Hasta cuándo os he de soportar? Traédmelo.
Y se lo trajeron; y cuando el espíritu vio a Jesús, sacudió con
violencia al muchacho, quien cayendo en tierra se revolcaba,
echando espumarajos. Jesús preguntó al padre: ¿Cuánto
tiempo hace que le sucede esto? Y él dijo: Desde niño.
Y muchas veces le echa en el fuego y en el agua, para matarle;
pero si puedes hacer algo, ten misericordia de nosotros,
y ayúdanos. Jesús le dijo: Si puedes creer, al que cree todo le es
posible. E inmediatamente el padre del muchacho clamó
y dijo: Creo; ayuda mi incredulidad. Y cuando Jesús vio que
la multitud se agolpaba, reprendió al espíritu inmundo,
diciéndole: Espíritu mudo y sordo, yo te mando, sal de él,
y no entres más en él. Entonces el espíritu, clamando y
sacudiéndole con violencia, salió; y él quedó como muerto,

Todo es posible

de modo que muchos decían: Está muerto. Pero Jesús,
tomándole de la mano, le enderezó; y se levantó.
San Marcos 9:14-27.

O tra vez Jesús descendía de la montaña, como símbolo de lo que había hecho treinta y tres años atrás, cuando dejó la cúspide más gloriosa, la del Santuario celestial, y la presencia del Padre para encontrarse con nosotros, meros mortales en nuestra condición caída. Vino para mostrarnos que no es el hombre el que busca a Dios, sino Dios quien busca al hombre. Es el Pastor que dejó las 99 ovejas en el aprisco y salió a buscar a la perdida (ver S. Lucas 15:3-7). Es el que llega, el que toca, el que transforma, el que conquista, el que convence, el que salva.

Esa tarde bajó de la cima de la montaña. Las multitudes lo esperaban, como siempre sucedía. Cuando lo vieron, sintieron la atracción del Maestro y corrieron a su encuentro.

¿Te has preguntado alguna vez por qué las multitudes seguían a Cristo? Un día llegó a la entrada de Jericó, y allí estaba esperándolo casi todo el pueblo (ver S. Lucas 19:3). En otra ocasión, necesitaba sosiego y paz y subió a una barca para reposar con sus discípulos. Les dijo: "Venid vosotros aparte a un lugar desierto, y descansad un poco" (S. Marcos 6:31). Pero cuando levantaron la vista, vieron a la multitud en su redor.

¿Qué tenía Jesús para que las multitudes lo siguieran? ¿Tenía en sus manos lo que el ser humano necesitaba para ser feliz? Más que tener "algo", Jesús era, es y será todo lo que la humanidad siempre ha necesitado para ser plenamente feliz.

Por eso, el profeta Hageo lo llamó "El Deseado de todas las naciones" (Hageo 2:7). Todo corazón humano anhela poseer una experiencia con Jesucristo, aunque no lo sepa. Por eso las multitudes corrían hacia él.

Jesús iba bajando la montaña, y la multitud venía corriendo a su encuentro. Entonces, alguien de la multitud levantó su voz y dijo: "Maestro, no quiero importunarte, pero... tengo una necesidad y

Es posible ser transformado

necesito que me escuches. Mi hijo tiene un espíritu inmundo, que cuando lo toma y lo posee, lo sacude y lo hace rodar por el suelo. Mi hijo se retuerce echando espumarajo y crujiendo los dientes. La situación es tan desesperada que ya no sé qué hacer. Maestro, mi hijo no puede más. Lo traje a tus discípulos para ver si podían hacer algo por él, pero no pudieron. Ellos no tienen poder. Y tú, ¿podrás hacer algo por mi hijo?"

Jesús miró con tristeza a sus perplejos discípulos, a la multitud espantada y a los cavilosos espías de los sacerdotes, y les dijo: "¿Hasta cuándo estaré con ustedes? ¿Hasta cuándo persistirán aparentando vivir la experiencia religiosa, confiando en sus propias fuerzas, cuando el secreto de la religión es la comunión con mi Padre?" Luego dice al hombre: "¡Tráiganme al muchacho!" Lo trajeron y el joven comenzó a contorsionarse, sacudido por un espíritu inmundo. Cayó al suelo, se revolcó, torcía los pies, echaba espuma por la boca. El mal espíritu pretendía aterrorizar a todos. Creía que Jesús también se asustaría, pero Jesús permaneció sereno. Nada puede espantarlo ni hacerlo huir.

Jesús le preguntó al padre: "¿Cuánto tiempo hace que tu hijo está así?", y el hombre le contó la historia de largos años de sufrimiento. Recordó todas las veces que fue a tantos lugares en busca de ayuda. Todas aquellas promesas fallidas de curación. ¡Cuántas veces los religiosos oraron y su hijo no fue liberado! ¡Cuántos médicos prometieron curarlo y ninguno pudo! En ocasiones, traspuso los límites de Israel y de su fe, buscando en curanderos paganos la solución para el problema de su hijo.

¿Qué no está dispuesto a hacer un padre cuando ve que su hijo se está muriendo y la impotencia lo carcome? ¿Adónde no está dispuesto a ir por salvar a su hijo?

***

Cuando mi hermana tenía dos años, y yo cinco, una fiebre muy alta agobió su cuerpito, y se deshidrató gravemente. Estaba tan deshidratada que empezó a tener convulsiones. Entonces, papá la llevó al hospital y le dieron algunos medicamentos. Cuando la situación

Todo es posible

se calmó, todo lo que mi padre recibió del médico fueron unas pocas palabras protocolares: "Hay que esperar cómo evoluciona su organismo". Luego la trajo nuevamente a la casa.

La habitación de mi padre quedaba junto al cuarto donde dormíamos con mi hermana en dos camitas separadas por una mesita de noche. Mi padre me dijo: "Quiero que estés atento al estado de tu hermana. Cualquier cosa que le pase, rapidito nos avisas". Me quedé como un guardia, sentado en la cama, con la espalda apoyada en la pared, luchando por permanecer alerta por si mi hermana necesitaba ayuda.

Después de un rato empecé a quedarme dormido. De pronto desperté ante los quejidos de mi hermana, y al verla convulsionando, con los ojos en blanco, salté de la cama, corrí al cuarto de mi padre y lo desperté a gritos: "¡Papá, papá, Andrea se muere!" Antes de que terminara de gritar, papá ya estaba de pie. Se puso una chaqueta encima de su pijama, tomó a mi hermanita en brazos, y se calzó los primeros zapatos que encontró a la salida de la habitación, que mi madre había puesto junto a la puerta para no olvidarse de llevarlos al zapatero. Uno de los zapatos tenía un clavo de una media pulgada que sobresalía donde se calza el talón.

Mi padre se clavó el pie. ¿Crees que lo sintió? ¿Crees que le dolió? Caminó y corrió cuarenta cuadras hasta llegar a la casa del médico, pues a esa hora no había transporte público. Gracias a ese sacrificio, mi hermana se salvó. ¡Cuarenta cuadras caminó mi padre con un clavo en el talón! ¡Y no lo sintió! Se dio cuenta del clavo cuando, ya en casa, vio que su pie sangraba profusamente. ¿Qué cosa no está dispuesto a hacer un padre para ayudar a su hijo?

***

El padre del muchacho poseído, luego de contar la historia del sufrimiento de su hijo, como si no puede soportar más, exclamó: "Si puedes, haz algo. Ayúdanos, ten misericordia de nosotros". Dijo: "Si puedes". El padre también dudaba del poder de Cristo.[1]

¿Podrá Jesús hacer algo por un padre que siente su corazón desgarrado al ver que su hijo se está muriendo y él no puede hacer

Es posible ser transformado

nada? ¿Podrá Jesús dar esperanza, consuelo y solución a los padres de hoy que sufren por sus hijos?

Jesús respondió: "Si puedes creer, al que cree todo le es posible". No le falta poder a Cristo, pero la curación del hijo dependía de la fe del padre.

Jesús parecía decirle: "Te voy a dar la clave del éxito, el secreto para que lo imposible sea posible. Vivirás experiencias trascendentales si entiendes lo que te voy a decir. Escúchame bien, mi amigo, porque el secreto es este: 'Si puedes creer, al que cree todo le es posible' (S. Marcos 9:23). O sea, nada le es imposible".

Aquel padre miró a Jesús con una sonrisa que expresaba confusión. "¡No te imaginas, Jesús, la cantidad de dinero que he pagado a personas especializadas en medicina, que prometieron ayudar a mi hijo, y no pudieron! ¿Y tú me dices que lo único que vas a cobrarme es que yo te diga que creo en ti?" Entonces, "comprendiendo su propia debilidad, el padre se confió completamente a la misericordia del Cristo, exclamando: 'Creo, ayuda mi incredulidad'".[2]

Así sucede también con nosotros. Como este hombre, nosotros tampoco tenemos la capacidad de creer. Podemos intuir, o fantasear acerca de la existencia de Dios, pero no lo conocemos. ¿Cómo podemos creer en alguien a quien no conocemos? Delante de Jesús, ese hombre descubrió que el mayor milagro no fue que su hijo sanara, sino recibir de Cristo la capacidad de creer, de confiar que, con él, ¡todo es posible!

Para descubrir esto, primero necesitaba reconocer su condición de incrédulo. Jesús sabía que en la cuenta del banco celestial de este hombre no había fondos. Este hombre no tenía fe. No tenía nada que ofrecer a Jesús. Esta es nuestra condición. Es triste reconocerla, pero los seres humanos no tenemos nada que darle a Jesús para recibir su favor. ¡No tenemos fe! La fe también es un don de Dios, puesto que Jesucristo es el autor y consumador de la fe que salva (ver Hebreos 12:2).

Jesús miró con ternura a aquel hombre. Veía la cuenta de ahorros vacía de su corazón. El hombre se miró en los ojos de Jesús, y contemplándose en Cristo pudo descubrir su realidad. Comprendió que el

Todo es posible

Señor sabía lo que él estaba sintiendo. Como si el hombre le dijera: "¡Por favor, Jesús, si vas a hacer un milagro en esta hora, hazlo en mí! He reconocido que el problema principal no lo tiene mi hijo, ¡lo tengo yo! Y si quiero que las cosas cambien, el primero que tiene que cambiar soy yo. Por lo tanto, Jesús, si vas a hacer un milagro, si vas a levantar tu mano para hacer que lo imposible sea posible, haz el milagro de darle a mi corazón la capacidad de creer, porque si pudiese creer, ¡todo será posible! Ayuda mi incredulidad (S. Marcos 9:24)".

Entonces todo comenzó a cambiar. Reconocer nuestra real condición es el primer paso para que las cosas cambien. El Señor Jesucristo mete su mano en el bolsillo de su manto espiritual y sacó de allí una moneda celestial. La colocó en la cuenta de ahorros vacía del corazón de aquel padre desesperado para producir el milagro de fe que tanto anhelaba. Luego del toque invisible de Jesús, el hombre no dijo nada más. Se quedó en silencio, contemplando la obra de Cristo. Dio un paso al costado y entendió que para el Señor nada es imposible, que no hay pecado tan grave que no pueda perdonar, ni corazón tan corrompido que no pueda transformar, que no hay problema tan grande que no pueda resolver, porque descubrió que *¡Jesucristo es el Dios que hace posible lo imposible!*

Lo que siguió después fue un simple trámite para Jesús. Se acercó al joven y lo liberó, lo sanó, lo transformó. Bastó con decir: "Espíritu mudo y sordo, yo te mando, ¡sal de él, y no entres más en él!" (S. Marcos 9:25). En ese momento, el espíritu sacudió con violencia al muchacho, que parecía que iba a morir. Se contorsionó, dio vueltas en el suelo y, de pronto, se quedó tranquilo. Muchos decían: "¡Está muerto!", pero Jesús lo tomó de la mano y lo levantó.

Jesús nos levanta hoy

Hace mucho tiempo conocí a un padre como el hombre de esta historia bíblica. Él también sentía el peso de la impotencia. A su hijo le habían dado demasiada libertad, más de la que un adolescente puede manejar, pero el muchacho había abusado de la confianza de sus padres. Ahora no podían hacer nada por su hijo, y lo veían hundirse cada vez más en el abismo de las adicciones. El padre trató muchas veces de persuadirlo. Intentó todo lo que estuvo a su alcance para que su hijo abandonara su vida miserable, pero cada vez se internaba más en ese mundo tenebroso.

"La droga es un camino de ida. No te subas", decía una propaganda de aquellos días, y los jóvenes estallaban en carcajadas burlonas, pensando que esta era otra más de las mentiras de los "expertos", meros cobardes que pretendían alejarlos del placer mediante el miedo. Pero lograban el efecto contrario, porque los jóvenes son audaces, temerarios, y una frase tal, en vez de persuadirlos, los incitaba a probar. El hijo de este padre era uno de esos jóvenes intrépidos y engañados.

Un día, el padre pensó: *¡Ah! ¡Ya sé lo que mi hijo necesita! Cuando tenga una responsabilidad, va a cambiar.* Así que vendió un vehículo grande que tenía y compró un automóvil más pequeño. Con el dinero que sobró de la venta, sumado a un ahorro que tenía en un banco, abrió una tienda de comercio y puso a su hijo al frente del negocio. Pocos meses duró el almacén en manos de aquel muchacho. Todo dinero que entraba en la caja registradora lo malgastaba en adicciones. La familia quedó prácticamente en bancarrota.

El padre ya no sabía qué hacer por su hijo. Lo llevaba a programas de rehabilitación, pero él se escapaba. Parecía tener un espíritu mudo y sordo. Mudo, porque no transmitía lo que sentía en su corazón; sordo, porque no escuchaba consejos. Nada le importaba sino sus vicios. Recorría un camino de muerte, y no se daba cuenta.

Una madrugada, como resultado de un gran consumo de drogas y alcohol, el joven llegó a su casa con vómitos y escalofríos. El malestar persistió hasta la tarde, al punto que los padres tuvieron que llevarlo al hospital.

—Este muchacho tiene una intoxicación tan grande que no se le puede suministrar medicamentos. Su hígado está a punto de colapsar. Debemos esperar y ver qué ocurre con el correr de los días. El cuerpo solo se va a ir desintoxicando, si es que puede. Hay que esperar —dijo el médico.

Los días pasaban y el joven no mejoraba. El padre pidió que trajeran al médico de cabecera de la familia, quien vino y lo examinó.

Todo es posible

Luego habló con el padre detrás de la puerta del cuarto del joven, sin advertir que la puerta había quedado entreabierta y él estaba escuchando.

—Lo siento mucho. El caso de su hijo es muy complicado. La intoxicación ha sido terrible. Su hígado está demasiado afectado, y va a seguir inflamándose cada vez más. En un momento dado se va a desinflamar de golpe, y va a quedar así, pequeñito y duro. Es lo que se conoce como cirrosis hepática. ¿Cuánto tiempo puede durar este proceso? No lo sabemos. Puede durar meses, un año, año y medio. Tal vez dos. Depende de su fortaleza física. Viendo la condición demacrada y desnutrida en la que se halla el muchacho, no puedo darle muchas esperanzas —dijo el médico, y luego soltó estas lapidarias palabras—: Lo siento, su hijo se va a morir.

El impacto en el corazón de aquel joven fue tremendo. Tenía solo 18 años y se estaba muriendo. Trató de buscar en su mente algún momento de su vida que justificara la angustia que ahora sentía ante la realidad. Ya nada valía la pena. Se iba a morir cuando estaba empezando a vivir. Sería otro más de los muchos que sucumbían ante aquel flagelo que azotaba a los jóvenes.

El padre buscó ayuda. Alguien le dijo: "Allá hay un predicador que hace milagros". Fue a visitarlo para pedirle que hiciera algo por su hijo, pero el falso predicador lo engañó. Solo se aprovechó de su necesidad. Le sacó dinero y le hizo promesas que no cumplió. El padre se desilusionó de la religión y de las iglesias. Dijo que jamás volvería a pedir ayuda a un religioso. Lo único positivo que surgió de aquella entrevista fue que llegó por primera vez una Biblia a la casa de esta familia.

Días más tarde, el padre iba caminando por una de las calles principales de la ciudad de Mar del Plata, Argentina, y de pronto se quedó parado frente a un teatro y miró hacia adentro. Ese lugar ya no era un teatro, era una iglesia, pero él no lo supo hasta que entró. Vio al frente de aquel enorme teatro a una sola persona orando, y no quiso ser diferente ni hacer algo indebido, así que se arrodilló a orar sin saber cómo hacerlo. Cuando terminó de orar, la persona que había estado orando adelante estaba sentada a su lado.

Es posible ser transformado

—Mi amigo —le dijo—, ¿puedo ayudarle en algo?

El padre abrió su corazón. Confesó su desilusión con la religión por las experiencias que había vivido. Luego el hombre le dijo:

—Disculpe a mi colega. Yo también soy pastor. Le pido perdón en nombre de él. Quisiera ayudarlo. ¿Me permite orar por su hijo? —Se arrodillaron, y al terminar la oración, el padre hizo el ademán de sacar su cartera, pero el pastor le dijo:

—No, mi amigo, no me tiene que pagar ni dar ofrenda. No quiero su dinero.

—No le voy a dar dinero —respondió el padre, y abrió la cartera y sacó de allí una foto de su hijo. Le dijo al pastor:

—Quiero dejarle la foto de mi hijo para que usted siga orando por él.

Al ver la foto, tal fue la sorpresa del pastor que dio un paso atrás, dejó caer la foto de su mano, y mirando al padre y señalando la foto, preguntó:

—¿Es ese su hijo? ¡Dígame la verdad!

El padre, asustado, pensando que su hijo en algún momento le habría hecho algo malo al predicador, levantó la foto con miedo, y mirándolo le contestó:

—S-s-sí, pastor, es mi hijo.

—Usted no me va a creer. Hace tres días que vengo viendo en sueños a este joven. Veo que el Señor lo levanta con un ministerio de predicación internacional —respondió el pastor.

—Por favor, pastor, ¡mírelo bien! El joven del sueño no puede ser mi hijo. Mi hijo se está muriendo. De todos modos, le dejo la foto para que siga orando por él.

Y se fue.

Como el padre del relato bíblico, el padre de esta historia no creyó. La prueba de que no creyó es que dos semanas después estaba llevando a su hijo ante una sacerdotisa de la religión *umbanda*, una religión de santeros fundada en Brasil. Esta religión tiene un altar lleno de imágenes de "santos", y por medio de ellos convocan a los espíritus de sus antepasados. En su ritual matan animales, calientan la sangre y la beben. Dicen que la sangre caliente de un animal es más embriagante que cualquier bebida alcohólica. Ebrios ya, comienzan a danzar sobre brasas encendidas o vidrios molidos mientras convocan a los espíritus que, según ellos, les dan poder para hacer milagros.

Este padre desesperado llevó a su hijo a una sacerdotisa de aquella religión. La mujer intentó hacer sus rituales, pero cada vez que lo intentaba, repetía:

—¡No puedo! ¡No puedo hacer nada contigo! ¡Estás bloqueado! ¡Hay algo que no me deja entrar en ti!

Y enojada le decía:

—¡Eres un malcriado! ¡Abre tu corazón! ¡Déjame entrar!

Y el padre, rogaba:

—¡Por favor, deja que ella haga algo por ti!

Luego de varios intentos, la mujer empujó al joven mientras le decía:

—¡Vete de aquí! Estás bloqueado para mí. No puedo hacer nada. ¡No te quiero ver más aquí! —y lo echó del lugar. Al salir de allí, el padre miró a su hijo y le dijo:

—¿Te das cuenta? Ella tiene razón. ¡Eres un malcriado! ¡Tú no tienes remedio! ¡Eres un caso perdido!

Pero así como en el relato bíblico, emergió la figura de Jesús demostrando que para él no hay casos perdidos. Hacía varias noches que aquel joven estaba leyendo la Biblia y se estaba encontrando con Jesús. Dios estaba tocando su corazón.

Todo empezó una de esas noches de angustia cuando el muchacho no podía dormir. Le aterraba la oscuridad y el pensamiento de que esta se prolongara para siempre. Sentía el frío anticipado de la muerte y temblaba en soledad. Empezó a leer la Biblia que había llegado accidentalmente a la casa, y encontró un texto que golpeó su corazón. Se encuentra en Romanos capítulo 5, versículo 12, y dice: "Como el pecado entró al mundo por un hombre, y por el pecado la muerte, así la muerte pasó a todos los hombres, por cuanto todos pecaron". Siguió leyendo y descubrió que "la paga del pecado es muerte" (Romanos 6:23). Entendió que su muerte era justa, porque era un pecador. Prácticamente, había destruido a su familia. La había dejado en la bancarrota, y sus padres vivían angustiados a causa de la vida disoluta que él había llevado. Él mismo se había buscado eso que estaba viviendo, por lo tanto era justo que muriera.

Días después quiso volver a leer el mismo pasaje, y al no saber dónde se encontraba, comenzó a leer el libro de Romanos desde el principio. Llegó al capítulo 3, versículo 23, y leyó: "Por cuanto todos pecaron, y están destituidos de la gloria de Dios". Pensó: *Ah, este versículo se parece al otro.* Siguió leyendo. Miró los versículos 24 al 27, y quedó impresionado. "Siendo justificados gratuitamente por su gracia, mediante la redención que es en Cristo Jesús, a quien Dios puso como propiciación por medio de la fe en su sangre, para manifestar su justicia, a causa de haber pasado por alto, en su paciencia, los pecados pasados, con la mira de manifestar en este tiempo su justicia, a fin de que él sea el justo, y el que justifica al que es de la fe de Jesús".

Captó pálidamente la idea de un posible perdón que podría ser restaurador. La esperanza lo atrapó. Con lágrimas en los ojos miró al cielo y pronunció una oración:

"Señor, yo no entiendo bien lo que dice aquí, pero me parece que tu Palabra dice que eres capaz de perdonar aun al peor de los pecadores, como yo". Y añadió: "Si puedes perdonarme, te pido que lo hagas. Y si lo haces, voy a entender que tu perdón viene acompañado de sanidad. Si haces eso, yo dedicaré mi vida entera a predicar tu Palabra. Pero necesito que me muestres lo que vas a hacer conmigo. Te pido que me des una señal. No te voy a pedir algo específico, pero sí que cuando me respondas, tu respuesta sea tan clara que yo entienda que eres tú quien me está respondiendo. Y si dices que no me perdonas, y que voy a morir, muero en paz, porque sé que tú eres un Dios justo".

Pasaron tres días luego de aquella oración. Mientras tanto, al joven lo carcomía la incertidumbre. Estaba expectante, esperando la respuesta del Señor. Al tercer día se abrió la puerta del cuarto y entró Daniel, un joven que conocía muy bien, pues habían sido compañeros en el mundo de las adicciones. Daniel llevaba dos años asistiendo a una iglesia cristiana, y desde entonces nunca había ido a visitarlo. ¿Por qué lo hacía ahora? ¿Y por qué traía una Biblia? Daniel lo miró a los ojos y le dijo:

—Amigo, sé que llevas meses en cama y que no estás bien. Creo que sabes que me casé y tengo una hija. Tengo varios empleos, porque la economía no está bien. Por eso no había podido venir. Pero algo raro me está sucediendo. Desde hace tres días, cada vez que abro la Biblia tu rostro viene a mi mente. Cuando me arrodillo para orar, vuelvo a ver tu rostro. Cada vez que pienso en el Señor, tu rostro se me revela, y siento en mi interior que Dios me está diciendo que debo venir a decírtelo —Daniel prosiguió—: Hace tres días que vengo sintiendo todo esto, y hoy fue tan intenso este sentimiento que dejé mi trabajo para venir a verte. Tengo un mensaje que darte.

El joven miró a su amigo y dijo:

—Sí. Yo sé que tienes un mensaje para darme.

Daniel respondió:

—Sí, pero el mensaje que tengo no es mío. Es un mensaje de Dios.

Y el muchacho contestó:

—Sí, yo sé que es de Dios.

Sorprendido, Daniel agregó:

—Como el mensaje es de Dios, no lo voy a decir yo. Voy a dejar que la Biblia lo diga —abrió la Biblia en 1 Juan 1:9 y leyó—: "Si confesamos nuestros pecados, él es fiel y justo para perdonar nuestros pecados y limpiarnos de toda maldad" —después leyó Miqueas 7:18 y 19—: "¿Qué Dios como tú, que perdona la maldad, y olvida el pecado del remanente de su heredad? No retuvo para siempre su enojo, porque se deleita en misericordia. El volverá a tener misericordia de nosotros; sepultará nuestras iniquidades, y echará en lo profundo del mar todos nuestros pecados" —prosiguió con Isaías 1:18—: "Venid luego, dice Jehová, y estemos a cuenta: si vuestros pecados fueren como la grana, como la nieve serán emblanquecidos; y si fueren rojos como el carmesí, vendrán a ser como blanca lana".

Entonces, Daniel agregó:

—Mi querido amigo, yo puedo decirte en esta hora, en el nombre del Señor Jesucristo, que Dios te quiere perdonar.

Es posible ser transformado

Y aquel joven que siempre se había sentido fuerte, y que nada lo podía conmover ni sacudir, no pudo resistir la fuerza de aquellas palabras. Era la respuesta de Dios. Su corazón fue quebrantado de tal manera que comenzó a llorar como un niño pequeño. Su amigo Daniel se acercó y lo abrazó, mientras preguntaba:

—Mi amigo, ¿estás bien?

El muchacho le contó lo que le había pedido a Dios tres días atrás, y que estaba esperando la respuesta divina. Y añadió:

—¡Mírame bien, Daniel, porque Dios me está perdonando y me va a sanar!

Daniel pensó: *¡Pobre amigo mío, se va a morir; por lo menos aceptó a Jesús y fue perdonado!*

Aunque Daniel pensaba así, Dios tenía otro plan.

Jamás podré olvidar aquella tarde cuando Daniel llegó a mi casa, entró en mi habitación y trajo la respuesta de Dios que yo estaba esperando.

Han pasado treinta años desde esa tarde maravillosa. La historia que estás leyendo es un milagro del siglo XX. No la leí en ningún libro ni la aprendí en la Facultad de Teología. Te estoy contando lo que me pasó a mí, cuando estaba muerto en mis delitos y pecados y no tenía esperanza. Cuando mi vida llegó a su fin, Jesús llegó a encontrarme. Si hoy escribo este libro es porque así lo quiso Dios. Mi destino era otro. Me estaba muriendo y debí morir hace treinta años. Dios quiso salvarme, y me sanó. Él me transformó de drogadicto a predicador, de moribundo a un ser con ganas de vivir eternamente.

He recorrido el mundo compartiendo lo que Jesús hizo en mi vida. Nunca me cansaré de hacerlo. ¡Jesús es maravilloso, grande y poderoso! Me devolvió la vida, me dio la oportunidad de recibir todo lo que pensé que nunca podría tener. Me regaló una familia. Me dio una esposa maravillosa. Me devolvió a mis seres amados. Me hizo entender que la vida se puede vivir de manera saludable. La vida es linda, y yo sé que lejos de Dios uno la pasa bien, pero con él la pasamos mucho mejor, infinitamente mejor. Lejos de Jesús, todo es artificial, hasta la alegría. Con él vives en paz y plenitud, porque

Todo es posible

Jesucristo vino para que tengamos vida, y para que la tengamos en abundancia (S. Juan 10:10).

Reflexiona un momento conmigo. Si Dios fue capaz de convertir a un vicioso en un predicador, ¿cómo no podrá hacer de ti alguien especial? ¿Qué puede haber en tu vida que él no pueda cambiar, que no pueda transformar o hacer nuevo en ti? ¿Quieres que te diga qué cosa? ¡Nada! Porque si confías en él, hará maravillas en ti. Si crees en él, al que cree nada le es imposible; al contrario, todo le es posible (ver S. Marcos 9:23).

Hoy, aquí y ahora, mientras lees este pequeño libro, puedes abrir tu corazón a Jesús y comenzar a vivir una nueva vida en él. Deja que ilumine el camino que te lleva a la salvación, porque a fin de cuentas, Jesús es "el camino, y la verdad y la vida" (S. Juan 14:6). Deja que abra los mares de problemas que te agobian, y comienza a descubrir que con Jesús, **¡todo es posible si uno decide creer!**

¿Creerás tú?

---

1. Elena G. de White, *El Deseado de todas las gentes* (Mountainview, California: Pacific Press Publishing, 1955), p. 395.
2. *Ibíd.*

Para reflexionar

1. Según el texto, ¿cuál es la clave del éxito?

2. ¿Cuánto es capaz de hacer un padre por un hijo?

3. ¿Quién fue el protagonista del testimonio del capítulo?

Capítulo 2

Es posible ser restaurado

Vino a él un leproso, rogándole; e hincada la rodilla, le dijo:
Si quieres, puedes limpiarme. Y Jesús, teniendo misericordia
de él, extendió la mano y le tocó, y le dijo: Quiero, sé limpio.
Y así que él hubo hablado, al instante la lepra se fue de aquél,
y quedó limpio. Entonces le encargó rigurosamente, y le despidió
luego, y le dijo: Mira, no digas a nadie nada, sino ve, muéstrate
al sacerdote, y ofrece por tu purificación lo que Moisés mandó,
para testimonio a ellos. Pero ido él, comenzó a publicarlo mucho
y a divulgar el hecho, de manera que ya Jesús no podía entrar
abiertamente en la ciudad, sino que se quedaba fuera
en los lugares desiertos; y venían a él de todas partes.
San Marcos 1:40-45.

Ese día fui a visitar a Guillermo. Llevaba meses con una tos rabiosa. Durante los últimos días había tenido fiebre, y en algunos episodios de tos había expulsado sangre. No sabía qué tenía, y por eso fue al médico. Su madre me informó que ya no estaba en casa, estaba internado en el hospital.

—¿Qué tiene Guillermo? —le pregunté.

—No sé. Me llamó desde allí y dijo que lo iban a dejar internado porque le están haciendo estudios —dijo ella.

De prisa me dirigí al hospital público.

Cuando llegué, busqué el cuarto piso y caminé por un largo pasillo hasta la habitación contigua a la que había sido de un amigo mío llamado Eduardo, que había muerto de sida. Ahí estaba Guillermo.

—¿Qué haces aquí? Estás en el cuarto piso, en la sala de los aislados, ¿por qué? —le pregunté, con una ansiedad mal disimulada.

—Julio, hoy el médico me examinó y me diagnosticó tuberculosis. Tengo una caverna en el pulmón que va creciendo. Enviaron las pruebas de sangre al laboratorio. El médico me dijo que, tomando en cuenta mi historia clínica y mi estilo de vida hasta el momento, solo falta confirmar el virus del VIH positivo en sangre para diagnosticarme sida —dijo mi amigo con voz temblorosa.

—Guillermo, ¡es hora de buscar a Dios! —le dije.

Concluía la década de 1980, y el sida se había convertido en la enfermedad de la época. Grandes personalidades fueron infectadas: Rock Hudson, Freddie Mercury, Rudolf Nureyev, Arthur Ashe y muchos otros. En mi país, varios músicos conocidos perdieron la batalla contra esta terrible enfermedad: Miguel Abuelo, Federico Moura, el bailarín Jorge Donn; y en mi ciudad, muchos jóvenes también murieron víctimas del sida, como Eduardo "El Curto". Sentí que perdería otro amigo por esa enfermedad tan temible. Yo llevaba un tiempo caminando con Dios. Guillermo y yo habíamos sido compañeros en el mundo oscuro de los vicios. Ahora él se encontraba en el hospital, enfermo y también se estaba muriendo. Lo miré fijamente a los ojos y le dije:

—Tú sabes quién soy, y lo que Dios hizo en mi vida.

Tenía la certeza de que Dios podía hacer algo por mi amigo. Mi fe se basaba en el hecho de que Jesús está vivo y todavía tiene el mismo poder para realizar las obras que hizo en el pasado. Porque es el mismo "ayer, y hoy, y por los siglos" (Hebreos 13:8).

En los tiempos de Jesús había una enfermedad tan terrible y temible como el sida en la década de 1980: la lepra. Hoy, existen tratamientos efectivos para combatir esta enfermedad, pero en los días de Jesús la lepra era implacable, incurable y contagiosa. Ser leproso era un grave estigma social.

Al comienzo de la aparición del sida, los pacientes se sentían como aquellos leprosos de los tiempos bíblicos, porque era una en-

Es posible ser restaurado

fermedad desconocida. Pero aquellos leprosos de antaño la pasaban peor que los enfermos de sida de nuestros días.

A diferencia de un leproso, una persona con sida puede vivir en comunidad y tener contacto con sus amigos y familiares. Aunque el sida es una enfermedad transmisible, hemos aprendido a no discriminar a los portadores de este virus. Sin embargo, un enfermo de lepra en los tiempos de Jesús padecía un proceso desgarrador que lo conducía al exilio, a la soledad, al abandono y a la muerte. Debía ser examinado primeramente por los sacerdotes de Israel, y una vez que se dictaminaba que padecía la enfermedad, era expulsado de la sociedad y confinado en un "leprosario". La nueva casa de un leproso podía ser tanto una cueva del desierto, que alguna vez había servido de sepulcro, o simplemente un cementerio. Como el enfermo ya estaba muerto en vida, era abandonado en el lugar donde finalmente serían enterrados sus huesos.

Esta era la tragedia del leproso: No podía volver a su casa, y quedaba condenado a pasar el resto de sus días apartado de la gente. Había muchos leprosos que vivían escondidos entre la gente, pues no concebían la idea de perder contacto con sus seres queridos.

No sé si alguna vez padeciste alguna enfermedad por la que pasaste más de un mes en cama. Si has tenido tal experiencia, recordarás que lo único que te liberaba de la depresión era la visita de alguien que te infundiera ánimo. Por eso es importante visitar a los enfermos. El enfermo está abrumado por la enfermedad, y como la mente corre más rápido que la realidad, la mayoría de las veces, en su negativismo, imagina que la enfermedad es más grave de lo que es en realidad. Lo único que puede aliviar su angustia mental y emocional es pasar un momento agradable con seres queridos que lo alienten y traigan luz, esperanza y alegría a las tinieblas de su ambiente. Una de las cosas buenas que pueden hacer las iglesias es visitar a los enfermos.

Pero los leprosos de los tiempos de Cristo no tenían ese alivio. Estar separados de la familia, cortados de la sociedad, sin poder recibir palabras de cariño o aliento, los sumergía en una condición extremadamente depresiva. Solo podían relacionarse con otros leprosos. Cuando algún infectado advertía en otros el avance de la enfermedad, ya sabía cómo evolucionaría la suya. Y al ver morir a alguno, todos sentían anticipadamente el frío de la muerte.

Para agravar su miseria, los dirigentes religiosos de los días de Jesús malinterpretaban a Dios y su Palabra. Esos dirigentes religiosos, basados en razonamientos humanos, habían llegado a la conclusión de que la lepra era un castigo de Dios, por lo tanto, además de no poder tener contacto con sus amados, el leproso estaba perdido espiritualmente. No tenía esperanza ni oportunidad de ser consolado.

Con frecuencia el hombre malinterpreta a Dios y le hace decir lo que no dijo. Lo presenta de manera distorsionada. Cree que Dios define a la humanidad con conceptos humanos. Debemos tener mucho cuidado con los juicios que hacemos. Debemos basarnos solo en la Escritura, porque la Palabra de Dios es verdad. Jesús pide al Padre: "Santifícalos en tu verdad; tu Palabra es verdad" (S. Juan 17:17). La Biblia es la única regla de fe y conducta, no las tradiciones, los conceptos de los hombres ni los prejuicios de la cultura. No valen los conceptos que andan dando vueltas por ahí, ni lo que supone un predicador, sino lo que dice la Palabra de Dios.

Cuán triste era la realidad del leproso. Yo me pregunto: *¿Era la lepra un castigo de Dios? ¿Es Dios un ser tan arbitrario que castiga a sus hijos cuando estos no quieren hacer lo que él manda? ¿Será que Dios es así? ¿Dónde podemos encontrar información que nos ayude a entender cómo es Dios?*

La Biblia es la fuente autorizada, fidedigna y suficiente para saber cómo es Dios. Si aplicamos los conceptos de aquel tiempo al padecimiento del sida de nuestro siglo XXI, ¿concluiremos que Dios es culpable de ese terrible mal? ¿Será que él mira a la humanidad y le dice: "Hombres y mujeres, no vivan desenfrenadamente, vuélvanse a mí, porque si no, van a sufrir consecuencias terribles"? ¿Castiga Dios con cáncer al fumador, con cirrosis hepática al alcohólico, y al promiscuo o usuario de drogas con sida? ¿Tienes este concepto de Dios? ¿Puedes ver a un Dios arbitrario y exigente, exigiendo absoluta obediencia de parte de todos? ¿Será que Dios es así?

¡Qué triste idea es considerar que Dios piensa y siente como nosotros! Nosotros somos exigentes, arbitrarios, desalmados.

Es posible ser restaurado

Queremos que todo el mundo haga lo que deseamos, y si tuviésemos poder, haríamos sentir el peso de nuestra autoridad. Así somos los hombres, ¡pero Dios no es así! Él no tiene nada que ver con el dolor ni con la angustia de este mundo. No tiene nada que ver con la enfermedad ni la muerte. La muerte no es su culpa. El dolor no es su culpa, la enfermedad no es su culpa, la lepra y el sida tampoco. "Dios es amor" (1 Juan 4:8). Él no tiene nada que ver con esas cosas destructivas.

Para deshacernos de nuestras dudas concernientes a Dios, solo necesitamos mirar a Jesucristo, conocerlo, pues al conocerlo podemos entender cómo piensa Dios. Si miras a Cristo crucificado, entenderás cómo siente Dios. Míralo en la cruz, dando la vida, y escucha su oración: "¡Padre, perdónalos! Vine a morir, a sufrir por ellos, para perdonarlos y salvarlos, si me aceptan. Por eso, Padre, perdónalos, porque ellos, que creen que saben, no saben lo que hacen" (ver S. Lucas 23:34).

La Biblia dice que "Dios es amor" (1 Juan 4:8), y que quiere lo mejor para nosotros. "Yo sé los pensamientos que tengo acerca de vosotros, dice Jehová, pensamientos de paz, y no de mal, para daros el fin que esperáis" (Jeremías 29:11). Mira a Jesús sanando al paralítico, devolviendo la vista al ciego; mira a Dios reconciliando al mundo consigo mismo por medio de su Hijo (ver 2 Corintios 5:19). ¡Mira a Jesús sanando al leproso! Aquel hombre despreciado, abandonado, condenado a su trágica suerte, envuelto en sombras y pesar, deprimido y ansioso; adolorido y anestesiado por la angustia y la desolación de verse perdido y olvidado por el mundo, pero no por Jesús. Él nos conoce a todos y a nadie olvida. ¡Te conoce a ti! Aun tus cabellos han sido contados por él (ver S. Lucas 12:7).

El leproso se acerca, se deja llevar por la emoción de estar delante de aquel de quien había escuchado hablar entre las sombras y las calles oscuras por donde transitaba. Llevaba días buscando a Jesús, y había preparado un plan para encontrarse con él. Pero los leprosos tenían reglas que cumplir y muchas restricciones. Debían llevar al descubierto la vergüenza de su enfermedad y colgarse una campana en el cuello; cuando la gente la escuchara sabría que un leproso se

Todo es posible

acercaba. Y si el leproso veía a la gente, debía gritar: "¡Inmundo! ¡Inmundo!", para darles tiempo de retirarse a prudente distancia.

Pero este leproso no haría nada de eso. Él sabía que si la gente veía su condición no lo dejaría llegar a Jesús. Hoy las cosas no han cambiado mucho en este sentido, porque si algún "religioso" descubre tu flaqueza y debilidad, probablemente te señale o te discrimine, y no deje que te acerques a Cristo. Sin embargo, el leproso de esta historia encontró a Jesús, y cuando lo vio supo que él podía sanarlo. Discernió que era cierto lo que decían de él, comprendió que ese Nazareno de sandalias gastadas era más de lo que él imaginaba. Se arrojó a sus pies para adorarlo, y le rogó: "Señor, si quieres, puedes limpiarme" (S. Mateo 8:2).

¿Querrá Jesús limpiar a un inmundo leproso? Y si lo quiere limpiar, ¿cómo lo hará? Todos esperaban la respuesta de Jesús. Pero, aunque habló, Jesús primero hizo algo inesperado: extendió su mano y lo tocó. Tocó al intocable, al impuro, al que nadie se atrevía a tocar.

¿Sabías que el órgano más grande de nuestro cuerpo es la piel? ¿Y que el primero de los sentidos que se desarrolla es el del tacto? ¿Ya te diste cuenta de que comunicamos más con un toque que con mil palabras? Un apretón de manos, un abrazo, un beso, dicen más que muchas palabras. En el silencio de un toque se dicen cosas que solo entiende aquel que fue tocado.

Al tocar al leproso, Jesús demostró que está interesado en llegar a lo más profundo de nuestro ser, que se involucra con nuestra realidad, y que no le somos ajenos en nuestro dolor y miseria.

A Jesús nada le espanta. No hay inmundicia humana ni realidad tan tétrica que lo mueva a dejar de tratarnos con dignidad. No hay lepra tan terrible que lo motive a alejarse de nosotros, sino todo lo contrario. En vez de alejarse, él nos toca, se ensucia las manos con nuestra inmundicia para transformar nuestro mundo espantoso y limpiarnos de iniquidad, y convierte la llaga inmunda en lozana realidad.

Jesús no rechazó al leproso, sino que lo aceptó, lo recibió y, lo más maravilloso, lo curó, lo limpió. Lo aceptó tal como era, pues lo tocó

Es posible ser restaurado

antes de que estuviera limpio, pero no lo dejó igual. Lo transformó. Con su mano tocó su carne, y con su palabra tocó su corazón: "Quiero; sé limpió. Y al instante su lepra desapareció" (S. Mateo 8:3).

***

Guillermo era bastante escéptico. No creía en Dios y se burlaba de las cosas espirituales. Cuando yo le dije aquellas palabras: "Tú sabes quién soy y lo que Dios hizo en mi vida", me miró y me dijo:

—Tú estás loco. Eres débil. Te lavaron el cerebro. No eres el mismo Julio que yo conocí. Algo diferente hay en ti, y no me gusta.

Yo insistí:

—Guillermo, estoy aquí para decirte que este es el tiempo de buscar a Dios. ¡Vamos a estudiar la Biblia!

Pero él afirmaba:

—¡No, yo no creo en la Biblia! Ese libro fue escrito por hombres. Quién sabe qué fumaron antes de tener sus visiones.

Así se expresaba mi amigo. Yo trataba de convencerlo, pero no podía. Estuve cuatro horas con él, insistiéndole para que estudiara la Biblia conmigo. Cuando me estaba yendo, pensé: *Bueno, es suficiente. Insistiré por última vez.*

—Guillermo, antes de irme te pido y te invito, ¡vamos a estudiar la Biblia juntos!

—Está bien. Vamos a estudiar la Biblia —dijo—. Pero conste que lo hago por dos razones: Primero, porque si vamos a estudiarla tienes que venir todos los días y así voy a tener compañía. En segundo lugar, lo hago porque me tienes cansado de tanto insistir. Estudiaremos la Biblia veinte minutos, y ya. Después hablaremos de otras cosas. Te queda claro, ¿verdad?

—Está bien, Guillermo —contesté, y me fui.

Al otro día regresé para darle su primer estudio bíblico de *La fe de Jesús*: "Lo que la Biblia enseña acerca de Dios".[1] ¿Cómo nos considera él? El amor de Dios, y todo lo que la Biblia dice acerca de su cuidado para con nosotros. Guillermo me miraba, se reía y me decía:

—¿Cómo puedes creer todas esas fábulas? ¡Dios no existe! Lo

que pasa es que los seres humanos no quieren sufrir solos, y se inventaron un dios para tener consuelo y esperanza. Pero Dios es una invención de la mente humana.

Al otro día volví. Segundo estudio bíblico: "La Santa Biblia". Le dije:

—Mira, la Biblia es la Palabra de Dios. Es inspirada. Por su Palabra, el Señor creó todas las cosas.

Guillermo me miraba y se reía.

Tercer estudio bíblico: "Lo que la Biblia enseña acerca de la oración y la fe".

—¡Podemos comunicarnos con Dios! —y lo invité—: Guillermo, ¡vamos a orar!

Y otra vez se burlaba:

—¿Orar? ¿Qué es eso? ¿Y dónde está Dios? ¡Preséntamelo! Quiero hablar con él. Dile que baje. Acá lo estoy esperando.

Entonces dije:

—Yo voy a orar —cerré mis ojos y comencé a orar. Cuando los abrí, Guillermo estaba mirando para arriba y hacia todos lados, preguntando:

—¿Con quién hablas? Aquí no hay nadie. ¡Estás loco!

Cuarto estudio bíblico: "Lo que la Biblia enseña acerca de la segunda venida de Jesucristo". Todo el mundo lo verá. Vendrá con sus ángeles, y reunirá a todos de un extremo del planeta al otro, para llevarlos a su encuentro. Los muertos en Cristo resucitarán con un cuerpo incorruptible, y los vivos serán transformados en un abrir y cerrar de ojos, a la final trompeta. Sí. Sonará la trompeta, porque, "con voz de arcángel, y con trompeta de Dios descenderá del cielo" (1 Tesalonicenses 4:16). Le compartí todos los versículos de la Biblia que hablan del advenimiento de Cristo.

Él me dijo con sarcasmo:

—Perdóname si estoy equivocado; ¿dijiste que viene en una nube tocando una trompeta? No me gusta ese instrumento. ¿Pero que viene en una nube?

Y comenzó a reírse.

—Sí, eso dice la Biblia —respondí.

Es posible ser restaurado

—¡En una nube! Por favor, piensa. Nadie puede caminar en una nube, porque es solo vapor. Nadie puede pararse en ella. ¿No te das cuenta que es una locura?

No había manera de convencerlo. Menos mal que yo estaba firme en la fe, pues algunas cosas que él decía tenían lógica. Quinto estudio bíblico: "Lo que la Biblia enseña acerca de las señales de la segunda venida de Jesús". "Y habrá hambre, guerras y rumores de guerra; y terremotos en diferentes lugares" (ver S. Mateo 24:6, 7).

Pero Guillermo seguía diciendo:

—Oye Julito, ¡me asombra que seas tan ignorante. Siempre hubo guerras, hambre, terremotos, pestes, tornados. No te enterabas porque antes las comunicaciones no estaban tan desarrolladas, pero hoy estornudan en China y nos enteramos acá. Esos sucesos siempre han ocurrido.

Sexto estudio bíblico: "Lo que la Biblia enseña acerca del origen del pecado". Un ángel libre y lleno de privilegios, llamado Lucifer, decidió rebelarse contra Dios, comenzó su rebelión en su divina presencia, y se convirtió en Satanás, que significa, el adversario, el enemigo de Dios. Él trajo el pecado a este mundo.

Guillermo volvió a reírse, y yo le pregunté:

—¿Por qué te ríes?

—¿Cómo puedes creer en la existencia de Satanás, ¡si no existe!? Es una invención de los religiosos, porque como cometen errores tan seguido, necesitan echarle la culpa a alguien. Hacen mal, y dicen: "El diablo me tentó y por eso pequé". Es lógico, ¿no crees? Muchas veces he visto a los religiosos hacer esto. ¡Mentira! No se quieren hacer cargo de sus equivocaciones. Echarle la culpa al diablo cuando este no tiene nada que ver. No nos queremos hacer cargo de nuestros errores.

No tenía forma de entrarle a Guillermo con el evangelio. Comencé a desanimarme, y decidí darle los últimos estudios bíblicos lo más rápido posible, porque sentía que estaba perdiendo mi tiempo. Le dije a Dios: "Señor, voy a darle dos o tres estudios juntos para cumplir rápido y se acabó. El resto te lo dejo a ti".

Fui a darle los estudios bíblicos siete y ocho, que tienen que ver con el perdón y la salvación. Leí los textos del amor y el perdón de Dios y lo que Cristo es capaz de hacer. Luego, con firmeza, le dije:

—Quiero que sepas que ese Dios Todopoderoso del que te estoy hablando no conoce tres cosas. Primero, no conoce un pecado tan grande que no pueda perdonar. Segundo, no conoce una vida tan horrenda que no pueda transformar. Tercero, no conoce un problema tan grande que no pueda resolver. Y por primera vez vi a Guillermo ponerse nervioso.

Seguí leyendo los textos que hablaban del perdón y del amor de Dios asociado a ese perdón, y cómo ese amor tenía la capacidad de transformar y cambiar la vida, y lo vi intranquilo. Se rascaba la cabeza, miraba por la ventana, miraba la Biblia, bajaba la vista cuando lo miraba a los ojos.

Era viernes de tarde y el sol se estaba ocultando. Ya casi era sábado.[2] Le dije a Guillermo:

—¡Vamos a orar!

Hablé con mayor seguridad. Accedió. Nos arrodillamos juntos, mirando el horizonte desde el ventanal de aquel cuarto piso. Con los ojos abiertos, oramos. Ya olvidé lo que pedí, pero recuerdo algo de la oración de Guillermo. Él dijo:

—Che, Dios, Julio me dijo que vos me podés perdonar. Si me podés perdonar, perdóname. ¡Chau!

Esa fue la oración de Guillermo. ¿La habrá escuchado Dios?

Me fui. Yo acostumbraba visitar a mi amigo al mediodía o al atardecer. Al otro día era sábado, y me fui a la iglesia, pero salí antes de que terminara el servicio, para llegar a la hora del almuerzo. Cuando llegué, vi a Guillermo comiendo un plato impresionante de tallarines con salsa. No lo podía creer. A causa de tantos medicamentos que estaba tomando, llevaba días sin comer, pero esta vez no dejó nada en el plato. Aún sorprendido, le dije:

—Guillermo, ¿ya estás bien?

Él sonrió y dijo:

—¡Tengo que contarte!

—¡Cuéntame! —le pedí con insistencia mientras lo veía comer. Él comenzó:

Es posible ser restaurado

—Anoche, cuando te fuiste, tomé la hoja que me dejaste, le di vuelta y leí lo que había detrás, texto por texto, y mientras leía sentía que Dios me hablaba a mí, que Dios me lo decía a mí. No pude resistir más y comencé a llorar. Le dije a Dios que hiciera algo con mi vida, y sentí como si una mano atravesara mi pecho y arrancara la angustia que llevaba dentro. Me sentí libre. Cuando me levanté de aquella oración me sentía otra persona, hasta hambre me dio.

Oré con él y estudiamos el tema que correspondía acerca del juicio de Dios. Ese sábado estaba ante otro Guillermo. Dios estaba realizando su obra.

Al otro día no pude ver a Guillermo, pero el lunes fui a verlo al hospital. Ahí estaban sus padres que, aunque divorciados, se habían encontrado ahí para ver a su hijo. El hermano llevaba una guitarra, y la tocaba con entusiasmo. Vi tanta alegría que, intrigado, le dije:

—Guillermo, ¿qué pasó? ¡Están todos contentos! —y él me dijo:

—Hoy temprano me hicieron los nuevos estudios. Un par de horas después el doctor llegó con los resultados, ¡y me dijo que no tengo nada! Me mostró la placa de rayos X, y me hizo ver que la tuberculosis había desaparecido. ¡Estoy sano! ¡Totalmente sano! El doctor añadió que el 98 por ciento de posibilidades de tener sida se revirtió a mi favor. ¡No tengo nada, Julio! ¡Absolutamente nada!

Sus padres y su hermano salieron, y quedamos solos Guillermo y yo. Tomé la guitarra y empecé a tocar un cántico. Guillermo me dijo:

—Julio, ¡vamos a orar!

—Sí, sí —le dije—. ¡Deja que termine de cantar!

—¡Por favor! ¡vamos a orar! ¿No entiendes lo que pasó?

—¡Sí, sí! El Señor te sanó.

Y seguí tocando.

—¿No entiendes lo que pasó? —volvió a preguntar Guillermo.

—¡Sí, El Señor te sanó de la tuberculosis!

—¡No! —gritó Guillermo mientras colocaba su mano en las cuerdas de la guitarra. Y añadió:

—Yo me inyecté con las agujas de personas que tenían el VIH. Estuve con mujeres que han muerto de sida, pero yo no tengo eso.

Todo es posible

¿Sabes por qué? Porque hay un Dios Todopoderoso en este siglo XX que también tiene el poder de sanar a los enfermos de sida.

Algunos dirán: "Bueno, tal vez los medicamentos ayudaron. O quizá fue casualidad que no se contagió de esa enfermedad. A lo mejor tuvo suerte". ¿Suerte? ¿Casualidad? No creo que existan ninguna de las dos. Me gusta como lo expresa un dicho popular: "Casualidad es el seudónimo con el que Dios suele firmar cuando no quiere que sepan que él fue que hizo posible las cosas".

Siempre tendremos la opción de creer o justificar las obras de Dios adjudicándolas a otros factores. Pero créeme, mi amigo, amiga: Esta historia la vi con mis propios ojos. Vi morir un barrio entero de jóvenes de la edad de Guillermo por este terrible flagelo del sida. Esta historia ocurrió hace más de veinte años, y cada año mi amigo Guillermo se hace exámenes, y nunca tuvo siquiera la sospecha de tener esa terrible enfermedad.

Guillermo está vivo porque Jesús está vivo. Él hace la diferencia. Jesucristo está vivo y camina entre nosotros, y sigue teniendo el mismo poder de siempre. Así como sanó a Guillermo y me transformó a mí, el Señor tiene poder para levantar a cualquiera que se deje atrapar por él, incluyéndote a ti. Esta historia no la leí en un libro, no me la contaron. Yo fui testigo de lo que pasó y descubrí una vez más que con Jesús, **¡todo es posible si uno decide creer!**

¿Creerás tú?

---

1. *La fe de Jesús* es una serie de estudios de la Biblia. Puedes encontrar una similar en la parte de atrás de este libro.

2. Mirar el estudio bíblico sobre el día de reposo bíblico.

Para reflexionar

1. ¿Qué diferencias hay entre el sida de hoy y la lepra de los tiempos bíblicos?

2. ¿Cuál era el mayor castigo de un leproso?

3. ¿Qué palabras sacudieron a Guillermo?

Capítulo 3

Es posible trascender

Vanidad de vanidades, dijo el Predicador; vanidad de vanidades, todo es vanidad... Dije yo en mi corazón: Ven ahora, te probaré con alegría, y gozarás de bienes. Mas he aquí esto también era vanidad. A la risa dije: Enloqueces; y al placer: ¿De qué sirve esto? Propuse en mi corazón agasajar mi carne con vino, y que anduviese mi corazón en sabiduría, con retención de la necedad, hasta ver cuál fuese el bien de los hijos de los hombres, en el cual se ocuparan debajo del cielo todos los días de su vida. Engrandecí mis obras, edifiqué para mí casas, planté para mí viñas; me hice huertos y jardines, y planté en ellos árboles de todo fruto. Me hice estanques de aguas, para regar de ellos el bosque donde crecían los árboles. Compré siervos y siervas, y tuve siervos nacidos en casa; también tuve posesión grande de vacas y de ovejas, más que todos los que fueron antes de mí en Jerusalén. Me amontoné también plata y oro, y tesoros preciados de reyes y de provincias; me hice de cantores y cantoras, de los deleites de los hijos de los hombres, y de toda clase de instrumentos de música. Y fui engrandecido y aumentado más que todos los que fueron antes de mí en Jerusalén; a más de esto, conservé conmigo mi sabiduría. No negué a mis ojos ninguna cosa que desearan, ni aparté mi corazón de placer alguno, porque mi corazón gozó de todo mi trabajo; y esta fue mi parte de toda mi faena. Miré yo luego todas las obras que habían hecho mis manos, y el trabajo que tomé para hacerlas; y he aquí, todo era vanidad y aflicción de espíritu, y sin provecho debajo del sol...

Todo es posible

*Entonces dije yo en mi corazón: Como sucederá al necio,
me sucederá también a mí. ¿Para qué, pues, he trabajado hasta
ahora por hacerme más sabio? Y dije en mi corazón, que también
esto era vanidad. Porque ni del sabio ni del necio habrá memoria
para siempre; pues en los días venideros ya todo será olvidado,
y también morirá el sabio como el necio. Aborrecí, por tanto,
la vida, porque la obra que se hace debajo del sol me era fastidiosa;
por cuanto todo es vanidad y aflicción de espíritu... He entendido
que todo lo que Dios hace será perpetuo; sobre aquello no se
añadirá, ni de ello se disminuirá; y lo hace Dios, para que delante
de él teman los hombres. Aquello que fue, ya es; y lo que ha de ser,
fue ya; y Dios restaura lo que pasó... Acuérdate de tu Creador en
los días de tu juventud, antes que vengan los días malos, y lleguen
los años de los cuales digas: No tengo en ellos contentamiento...
El fin de todo el discurso oído es este: Teme a Dios, y guarda
sus mandamientos; porque esto es el todo del hombre.
Eclesiastés 1:2; 2:1-11, 15-17; 3:14, 15; 12:1, 13.*

Todos los seres humanos buscamos la felicidad. Nos resistimos a la idea de vivir sin este preciado bien. La Declaración de Independencia de los Estados Unidos consagra la búsqueda de la felicidad como un derecho inalienable. Oh, sí, queremos ser felices, aunque nuestra búsqueda de este don divino no sea la correcta. Pero para ser feliz no basta con querer, porque si de eso se tratara, todo el mundo sería feliz, pues todos quieren, pero no todos lo logran.

En algún momento de la historia, alguien introdujo la idea de que para ser feliz en esta vida necesitamos solamente tener sueños y objetivos claros, definidos, y luchar por alcanzarlos. Sin embargo, hay personas que han alcanzado todo lo que alguna vez soñaron, pero descubrieron que la felicidad no consistía en eso. Esto sucede también en nuestros tiempos.

Contradicciones

Nunca antes se ha visto tanta *comodidad*, tanto adelanto científico y tecnológico como en nuestros días, pero tampoco nunca hubo tantas cár-

Es posible trascender

celes atestadas, tantos consultorios de psiquiatras llenos, tantos hogares destruidos, tantos matrimonios desechos, tanto sufrimiento. Parece que nos gustara vivir entre contradicciones. Pensamos que nuestros logros nos darán estabilidad para lanzarnos hacia la felicidad. Pero muchas de estas cosas no son esenciales. Por eso corremos por la vida sin rumbo, cometiendo grandes errores de los que terminamos arrepintiéndonos.

¡Qué contradictorios somos! En nuestra búsqueda de felicidad, hemos aprendido a incursionar en nuestro espacio exterior; pero no controlamos nuestro espacio interior. Por eso, solemos estar deprimidos, frustrados, nos sentimos vacíos, acomplejados.

En nuestro afán por conquistar esa felicidad deseada hemos aprendido a comunicarnos con todo el planeta mediante circuitos tecnológicos sofisticadísimos, pero no hemos aprendido a comunicarnos entre esposos, entre padres e hijos, entre hermanos, entre amigos. ¿Cuántas veces hemos estado en medio de una multitud y nos hemos sentido solos? A nuestro alrededor puede haber personas que no sabemos quiénes son ni qué necesitan, y ellos ni se enteran de nuestras necesidades. ¡Qué raros somos los seres humanos en nuestra búsqueda de la felicidad!

En nuestro afán por conquistar esa felicidad hemos aprendido incluso a desatar la energía atómica, pero no hemos aprendido a controlar nuestra propia energía emocional. De vez en cuando nuestra ira estalla como una granada, y las esquirlas de nuestras palabras lastiman a las personas que amamos con todo el corazón. Les infligimos heridas muy dolorosas. ¡Qué raros somos los seres humanos en nuestra búsqueda de la felicidad!

En nuestro afán por conquistar la felicidad hemos aprendido a controlar casi todas las epidemias, pero no hemos podido contra la epidemia de la discriminación, que ha creado fronteras y levantado muros de prejuicios entre los seres humanos. Prejuzgar no permite abrir el corazón para descubrir cosas nuevas. La persona que se deja guiar por preconceptos distorsiona la visión del presente y se amarra a lo que siempre hizo y pensó, por lo cual jamás aprenderá lo que la vida le quiere enseñar ni hará nada nuevo. ¡Qué raros somos los seres humanos en nuestra búsqueda de la felicidad!

Esto demuestra que para ser feliz en esta vida no basta con quererlo. Tampoco basta con acumular cosas y concretar los sueños deseados.

Todo es posible

Si así se obtuviera la felicidad, los que han conseguido todo lo soñado no se sentirían insatisfechos. Por eso surge la pregunta: ¿Será posible ser feliz en esta vida? Si me guío por los conceptos humanos, el día que conquiste todas las cosas deseadas y no encuentre la felicidad, me invadirá un abrumador sentimiento de frustración que me paralizará, destrozará mi estima y me condenará a la depresión.

El 5 de abril de 1994, las principales portadas de las revistas de música juvenil y las estaciones de radio comunicaban una triste noticia: Kurt Cobain había sido hallado muerto en una de sus casas. Kurt era el vocalista y líder de la exitosa banda de música rocanrol *Nirvana*, ganadora de importantes premios internacionales. Ahora, el joven que había alcanzado todo lo que se propuso estaba muerto. Al lado de su cama encontraron una nota de suicidio que decía: "Hace demasiado tiempo que no me emociona escuchar ni crear música, ni siquiera escribir letras de canciones de *rock*. Me siento increíblemente culpable... Necesito estar un poco anestesiado para recuperar el entusiasmo que tenía cuando era niño... No puedo superar la frustración, la culpa y la hipersensibilidad hacia la gente... Soy el típico hombre triste, sensible, insatisfecho. ¡Dios mío! ¿Por qué no puedo disfrutar? ¡No lo sé! Tengo una mujer preciosa, llena de ambición y comprensión, y una hija que me recuerda mucho cómo había sido yo... Se me ha terminado la pasión".[1]

A los 26 años, cuando estaba empezando a vivir, Kurt Cobain, el joven que conquistó el mundo de la música juvenil, acabó con todo.

El 11 de febrero de 2012, en un hotel de Beverly Hills, California, Whitney Houston, de 48 años, fue hallada sin vida, ahogada en la bañera, víctima de un ataque cardíaco a causa de una combinación de cocaína y alcohol. Whitney había batido los récords de ventas y conquistado los primeros lugares de la música popular estadounidense. Su muerte reveló que a pesar de todos sus logros, en su interior había un gran vacío.

Robin Williams, otro que lo ganó todo, cuando tuvo que enfrentar una enfermedad difícil de sobrellevar, acabó con su vida, porque la felicidad que anhelaba le era esquiva. El 11 de agosto de 2014, el genio de la pantalla fue hallado muerto en su residencia en el condado de Marín, California.

Y la lista puede ser interminable.

Es posible trascender

Tal vez te identificas con alguno de estos casos. Quizá no conquistaste todos tus sueños, pero has logrado alcanzar ciertas metas, y aun cuando te sentiste bien con esos logros, la felicidad deseada, la plenitud de vida, no ha llegado. Esto te frustra, te paraliza, y no tienes ganas de intentar nada nuevo ni de empezar otra vez. Has bebido de muchas fuentes humanas, pero sigues sediento. Tal vez piensas que la felicidad es solo una palabra bonita que alguien acuñó para mantener ocupados a los seres humanos mientras la vida sigue pasando, sin que ellos pasen por ella. Hay una gran diferencia entre vivir plenamente y meramente respirar y movernos.

Salomón

En la antigüedad hubo un famoso personaje que pasó por todas las etapas que tú y yo pasamos en nuestra búsqueda de la felicidad. Me refiero al sabio rey Salomón.

Salomón fue rey, poeta, escritor y músico. Tan talentoso fue que escribió el famoso musical conocido como el "Cantar de los Cantares". Tan inteligente y reflexivo fue que decantó su sabiduría en un libro bíblico denominado Proverbios, donde ofrece consejos sabios. Se cree que escribió también un libro testimonial, Eclesiastés, en el que narra su búsqueda de la felicidad. Confiesa que buscó la dicha por diferentes caminos, que logró todo lo que se propuso, pero todo fue en vano hasta el ocaso de su vida, cuando se dio cuenta dónde reside la ansiada felicidad.

El sabio escribió este libro testimonial para que tú y yo no nos dejemos llevar por las filosofías de esta vida que pueden cegarnos y extraviarnos. Quisiera compartir algunos pasajes de ese libro, con el fin de comprender lo que Salomón entendió, descubrir lo que él descubrió, y encontrar lo que él encontró. Si logras hacer eso mientras lees este libro, podremos decir que valió la pena, porque tendremos la convicción y la seguridad de que es posible ser feliz en esta vida, más allá de las vicisitudes y las adversidades.

Primeramente, Salomón se presenta como escritor, luego habla sobre el relato de sus reflexiones, diciendo: "Vanidad de vanidades, dijo el Predicador; vanidad de vanidades, todo es vanidad" (Eclesiastés 1:2). Es importante tener en cuenta que Salomón no escribió en español,

Todo es posible

tampoco en inglés. Escribió en su lengua materna. Él era hebreo, y por lo tanto escribió en la lengua de su pueblo.

Cuando nos encontramos con un texto escrito originalmente en hebreo, arameo o griego (los idiomas de la Biblia), traducido a nuestra lengua castellana, sabemos que hubo un trabajo previo de interpretación y traducción. El traductor trabajó con verbos, sustantivos y adjetivos que tenían un significado concreto en el tiempo en que fueron escritos, y su desafío fue traer a nuestro idioma el significado original del mensaje escrito. En este proceso suele perderse algo de lo que el escritor bíblico procuró transmitir.

¿Por qué digo esto? Porque Salomón utiliza una palabra que nosotros traducimos como "vanidad", que es usada cinco veces en las primeras oraciones de su escrito. Por lo tanto, esa palabra debió ser importante para él. La palabra que Salomón utiliza en el original hebreo es *hebel*, que significa "vapor". Para entender mejor al escritor, "vanidad" y "vapor" son exactamente lo mismo. Siendo más fieles al texto original, podríamos leer este pasaje de Eclesiastés 1:2 de la siguiente manera: "Vapor de vapores, dijo el predicador; vapor de vapores, todo es vapor".

Pero Salomón estaba hablando de la vida misma, de la esencia de lo que somos y de todo lo que podemos construir con nuestras propias manos. "Vapor de vapores". ¡Cuánta razón tenía el sabio! Así describe lo efímero de nuestra existencia, a la vez que manifiesta nuestra incapacidad de producir cosas sustanciales y trascendentes.

El escritor concluye esto luego de experimentar, en carne propia, la búsqueda de la felicidad. Como gran buscador de la felicidad, probó todos los caminos que ofrece esta vida. En Eclesiastés 2 declara: "A la risa dije: Enloqueces; y al placer: ¿De qué sirve esto?" (vers. 2). La expresión "a la risa dije: Enloqueces" significa: "reír hasta enloquecer". O sea, el sabio estuvo dispuesto a encontrar la felicidad en la diversión desmedida; no se perdió ni una fiesta. Conoció todos los lugares donde hubiera diversión. Pero también probó todos los placeres, y ante cada placer preguntaba: "¿De qué sirve esto? ¿Para qué es esto? (vers. 2). Si la felicidad iba a ser encontrada en los placeres de la vida, para allí iría. ¡Y así probó todos los placeres de la vida!

Nadie organizó más grandes fiestas en su época. Nadie probó más

Es posible trascender

los placeres del mundo que él. Sin embargo, no fue en la diversión desmedida, ni tampoco en los placeres carnales, donde Salomón encontró la felicidad deseada. Más bien, terminó descubriendo que todo lo que ofrece la diversión desmedida y los placeres de esta vida no es sino parte de ese vapor del que él está lamentando. Y así como el vapor no puede llenar el vacío de una mano, mucho menos pudo llenar el vacío existencial que él llevaba dentro.

En este libro testimonial el sabio enumera todas las cosas que conquistó, alcanzó y logró en función de alcanzar la felicidad deseada: "Engrandecí mis obras, edifiqué para mí casas, planté para mí viñas" (vers. 3). Nota que todas esas expresiones están en plural. Sigue diciendo: "Me hice huertos y jardines, y planté en ellos árboles de todo fruto. Me hice estanques de aguas, para regar de ellos el bosque donde crecían los árboles" (vers. 5, 6). Así se contabilizaba la riqueza en aquel tiempo. Pero si esto no alcanzaba, él dice también: "Compré siervos y siervas, y tuve siervos nacidos en casa; también tuve posesión grande de vacas y de ovejas, más que todos los que fueron antes de mí en Jerusalén" (vers. 7). "Amontoné también plata y oro, y tesoros preciados de reyes y de provincias; me hice de cantores y cantoras, de los deleites de los hijos de los hombres, y de toda clase de instrumentos de música" (vers. 8). Los mejores músicos tocaban en vivo para él.

Sigue diciendo: "Y fui engrandecido y aumentado más que todos los que fueron antes de mí en Jerusalén; a más de esto, conservé conmigo mi sabiduría. No negué a mis ojos ninguna cosa que desearan, ni aparté mi corazón de placer alguno, porque mi corazón gozó de todo mi trabajo; y esta fue mi parte de toda mi faena" (vers. 9, 10). La Biblia indica que el rey Salomón, en su afán por conquistar la felicidad a través de los placeres, llegó a tener 700 esposas y 300 concubinas (1 Reyes 11:3).

Mira cómo concluye el sabio esta primera parte de su texto: "Miré yo luego todas las obras que habían hecho mis manos, y el trabajo que tomé para hacerlas; y he aquí, todo era [vapor] y aflicción de espíritu, y sin provecho debajo del sol" (Eclesiastés 2:11). No es de extrañar que después de encontrarse con esta realidad el sabio haya entrado en un proceso de decaimiento emocional, hasta caer en el pozo de la depresión. Él mismo lo expresa en el versículo 15: "Entonces dije yo en mi corazón: Como sucederá al necio, me sucederá también a mí. ¿Para qué pues, he trabajado

Todo es posible

hasta ahora por hacerme más sabio? Y dije en mi corazón, que también esto era [vapor]". ¿Por qué? "Porque ni del sabio ni del necio habrá memoria para siempre; pues en los días venideros ya todo será olvidado, y también morirá el sabio como el necio" (vers. 16).

En otras palabras, el sabio reflexiona así: "Al final, ¿por qué me esforcé tanto para tenerlo todo, alcanzar todo, conquistar todo, si a fin de cuentas me voy a morir tan infeliz como cualquier persona que nunca logró nada?"

¿Sabes cuál es nuestro mayor problema? Un enemigo atroz con el que no podemos lidiar. Hemos inventado una sociedad que nos mantiene distraídos mirando para cualquier lado, ocupados, con tal de no pensar en ese enemigo que tanto nos aterra: la muerte. Cuando nacemos en este mundo, no nacemos totalmente vivos; llevamos por dentro un germen de muerte que tarde o temprano habrá de germinar, y esa realidad nos supera y aterra. Miramos hacia el futuro y tiembla nuestro corazón. No sabemos cómo enfrentar este misterio. Optamos por mantenernos distraídos mirando para cualquier lado, antes de pensar en esta realidad, porque con ella no podemos. Es muy abrumadora. Y para colmo, en nuestro interior llevamos un deseo de trascendencia que no sabemos cómo manejar. ¡Cuán terrible es la experiencia humana!

Salomón expresa su dolor diciendo: "Aborrecí, por tanto, la vida, porque la obra que se hace debajo del sol me era fastidiosa; por cuanto todo es [vapor] y aflicción de espíritu" (vers. 17). Luego de esta nota negativa, Salomón no terminó allí su escrito. Después de presentar la realidad humana, se da cuenta de que es necesario e indispensable introducir en su experiencia un nuevo factor que lo ayude a encontrar lo que desea. Entonces dice: "He entendido" (Eclesiastés 3:14). Parafraseo: "¡Un momento! Hasta aquí las cosas fueron de una manera, pero ahora entendí. ¡Ya entendí!"

Pero, ¿qué cosa entendió? "Que todo lo que Dios hace será perpétuo" (vers. 14). ¡Espera! ¿De quién habla el sabio? ¡Ah! ¡Hay un nuevo elemento dentro de la ecuación de la vida! Hasta ahí eran solo sus sueños, sus objetivos, sus deseos, sus logros, sus conquistas, todo lo que posee y lo que él es. Ahora introduce al único que es capaz de llevarnos a trascender más allá de nuestras realidad finita. Dice el sabio: "He entendido que

Es posible trascender

todo lo que Dios hace será perpetuo", eterno. Contraria a la experiencia humana, que es efímera, la vida puede tener un principio pero no un final, porque lo que Dios hace es eterno, perpetuo.

Dios es el único que puede llevar al ser humano a trascender más allá de los límites humanos, de tal manera que, aún viviendo en esta tierra, podamos empezar a vivir la eternidad. ¡Él, sólo él y nada más que él! Y Salomón lo entendió. El hecho de encontrarnos con lo trascendental y eterno nos confronta con nuestra realidad, a la vez que nos expone a una realidad mayor, que quizá nunca habíamos imaginado, aunque siempre la deseamos.

El hecho de que exista la posibilidad de una eternidad nos hace ir con nuestro pensamiento más allá de los límites humanos. Si ese Ser llamado Dios tiene eternidad para compartir, y nuestro principal problema es la muerte, entonces él se convierte en nuestra solución. Por lo tanto, si lo que estamos buscando es vencer la muerte y trascender, entonces necesitamos invariablemente a Dios. Sin su intervención es imposible lograr la felicidad, puesto que esa dicha es el resultado de permitir que Dios actúe en nuestra vida.

El sabio también dice: "Sobre aquello [sobre la obra que Dios hace] no se añadirá, ni de ello se disminuirá" (vers. 14). No se añade porque es completa; no se disminuye porque es perfecta. Esa "obra divina" es la que me completa, pues por su perfección llena mi vacío interior. En otras palabras, lo que tú y yo necesitamos para alcanzar la ansiada felicidad es que Dios comience su obra en nuestro corazón. Cuando esa obra comienza, nuestra experiencia será trascendental. Podremos vivir más allá de los límites de la historia humana, pues el que vive con Dios y deja que él se haga cargo de su vida, "ha pasado de muerte a vida" (S. Juan 5:24), para vivir una experiencia de eternidad desde ahora. Cuando Dios nos visitó, envuelto de humanidad en la persona de Jesús, dijo: "Yo he venido para que tengan vida, y para que la tengan en abundancia" (S. Juan 10:10).

***

Aquel sábado de tarde, mientras el sol estaba por bajar y comenzaría un nuevo día, yo contemplaba el rostro de un joven feliz. Omar era feliz, pero no siempre había sido así. El segundo sábado de haber asisti-

Todo es posible

do a la iglesia conocí a Omar, quien provenía de un hogar cristiano. Sus padres eran devotos y firmes en sus creencias religiosas. Omar era hijo único, aunque tenía un hermano, un muchacho adoptado por sus padres desde muy pequeño.

Como muchos otros jóvenes, Omar pasó por su etapa de rebeldía adolescente. Esa etapa puede ser muy devastadora para algunos, pues nunca regresan del viaje que propone esa estación de la vida. Un proverbio de la Biblia menciona que si se instruye correctamente a los niños en el temor de Dios, nunca dejarán ese camino. Además, si se alejan de ese camino, el Camino no se alejará de ellos. Este puede ser un gran aliciente para las madres que hoy están leyendo este libro. Madre querida, si enseñas a tus hijos en el temor de Dios, quédate tranquila, que aunque se aparten, esa semilla un día germinará y dará frutos. Eso sucedió con Omar.

Al final del pasaje bíblico que encabeza este capítulo se nos presenta una idea real, aunque no nos guste aceptarla. "Acuérdate de tu Creador en los días de tu juventud, antes que vengan los días malos, y lleguen los años de los cuales digas: No tengo en ellos contentamiento" (Eclesiastés 12:1). Aunque para algunos la juventud se esté yendo, lo que más importa es acordarse de Dios. Acordarse de Dios significa darle un espacio en la vida, tomarlo en cuenta en las decisiones que se toman, consultar con él, confiar en él, depender de él. Esto es fundamental para obtener fuerzas a fin de enfrentar las crisis que se presentarán en la vida.

A pesar de ser un joven de veinte años, a Omar también le llegó la crisis. Tenía una esposa y una hija, y un buen trabajo en una pequeña compañía. Era un joven exitoso, con un gran futuro, solo que había abandonado sus creencias de la niñez y pensaba poco o nada en Dios.

Un día la tormenta llegó, y él no tenía fuerzas para detenerla; ni siquiera sabía cómo enfrentarla. Su esposa lo estaba abandonando, su mundo se derrumbaba, y su futuro se desvanecía ante la cruel realidad. *¿Por qué me pasa esto a mí?*, se preguntaba, sin encontrar respuesta. Lo tenía todo armado: una familia, un trabajo, una hija, un futuro, y ahora todo se derrumbaba. A causa del problema conyugal, volvió a la casa de sus padres, quienes intentaron prestarle ayuda, sin mucho éxito. El dolor era muy grande, pues amaba a esa mujer, la madre de su pequeña hija.

Es posible trascender

A su parecer, Omar no vio mejor escape que una botella de licor y algunas pastillas que adormecen el alma, los sentidos, el corazón. Así empezó su camino descendente por la ruta del alcoholismo y las drogas. Tarde a tarde, noche a noche, bebía y regresaba a su casa ebrio y adormecido. Así paliaba el dolor que laceraba su alma. Los días pasaban y nada mejoraba, pero una idea rondaba por su cabeza: ¿Qué sentido tiene la vida, si no puedo ser feliz?

Un día tomó una navaja, pero no se atrevió a usarla. La guardó en el bolsillo interior de su abrigo. Una tarde, como tantas otras, regresó ebrio, entró en su casa y quiso encender la luz, pero tropezó y cayó. De pronto, vio una pequeña silueta que venía hacía él. No supo quién era hasta que una pequeña mano se posó en su cara, y una voz dulce le dijo:

—¡Papi, papi! ¿qué pasa?

Era su niña de tres años. Omar se encendió en furia. Como si no bastara con la desgracia de perder su matrimonio, ahora su niña lo veía en esa miserable condición.

Omar se levantó y salió sin rumbo. Solo una idea rondaba su cabeza: *¿Qué sentido tiene la vida, si no puedo ser feliz?* No lo pensó más. Se introdujo en un terreno baldío, sacó la navaja y se cortó las venas de los dos brazos.

Suicidio

En el mundo ocurre un suicidio cada cuarenta segundos, un total de 2.160 suicidios por día, y 788.400 por año. De esos 788.400, el 15 por ciento ocurre en los Estados Unidos, con un total de 118.260 suicidios por año. Esto significa que hay 324 suicidios al día, 13 cada hora, uno cada cuatro minutos y medio. La mayoría que experimenta este flagelo fluctúa entre 15 y 29 años de edad. Antes que termines de leer este capítulo, varios jóvenes habrán acabado con sus vidas. Omar iba a ser un número más en las estadísticas mundiales, pero para Jesús era diferente.

En aquellos días se escuchaba en las noticias de la televisión que algunos malhechores robaban, ultrajaban a la gente y luego los arrojaban en lugares solitarios. Mar del Plata, donde ocurrió esta historia, es la principal ciudad turística de Argentina. Por allí suelen pasar más de tres millones de turistas en el verano y en las vacaciones de invierno.

Todo es posible

No era verano ni tampoco era la temporada vacacional del invierno, pero una turista llegó a la ciudad. Tomó un taxi, le dio mal la dirección al taxista, y este empezó a buscar la salida de una calle que parecía estar cerrada. Hizo un giro brusco para retomar el camino por donde venía, y, sin proponérselo, encendió las luces altas cuando vio una silueta que se movía en medio de un terreno baldío. Era Omar, casi inconsciente a causa de la hemorragia.

El taxista detuvo el auto y la señora bajó. Pensaron que se trataba de una víctima de un asalto o de un ultraje. Y en cierto sentido era cierto. Omar había sido asaltado por la desgracia y ultrajado por la realidad que lo llevó prisionero hasta ese momento dramático. Como vieron que Omar se desangraba, el taxista llamó por radio a una ambulancia, que finalmente lo llevó a un hospital.

Demasiadas coincidencias, ¿no crees? Una turista, una dirección equivocada y un taxista con radio de onda corta; algo inusual, pues en aquella época no todos tenían este servicio. Lo más impactante ocurrió en la ambulancia. Por un instante Omar recobró el conocimiento, y vio junto a él a una enfermera vestida de blanco que lo llamaba por su nombre:

—Omar, ¡hay razón para vivir! —le dijo, y añadió—: ¡Dios tiene un plan para tu vida! —y Omar volvió a desmayarse.

Las palabras de la enfermera sostuvieron a Omar en todo el proceso de recuperación. Fueron como un bálsamo, como un oasis para el desierto de su corazón. Al cabo de unas semanas en observación y vigilancia psiquiátrica, Omar fue dado de alta. Se encontraba recuperado y con ganas de vivir y buscar a Dios. Aún repercutían en su corazón las palabras de aquella enfermera que le había dado aliento y esperanza, y se maravillaba por las "coincidencias" y la manera en que fue hallado esa noche que pudo ser trágica.

Omar quiso cerrar aquel capítulo y buscó a la enfermera para agradecerle, pero le informaron que en las ambulancias durante esa noche no trabajaron enfermeras sino paramédicos. Sin decir palabra, Omar regresó a la casa de sus padres, quienes lo recibieron compungidos, pero con gozo. La última vez que había estado allí se había caído en el piso de la sala porque estaba ebrio. Ahora entraba en su habitación para volver

Es posible trascender

a caer al suelo, pero esta vez para caer de rodillas ante Dios y agradecerle por las "coincidencias" que salvaron su vida.

Dijo en su oración: "Señor Jesús, gracias porque me salvaste a pesar de mi rebeldía contra ti. Hiciste que una turista se subiera a un taxi con radio llamado, que se confundiera en dar la dirección, y que el taxista, involuntariamente, encendiera las luces altas para encontrarme moribundo. Permitiste que se interesaran en mí y llamaran una ambulancia. ¿Enviaste un ángel en la forma de una enfermera para que le diera aliento a mi corazón herido? ¡Quiero creer que sí, mi Jesús! ¡Gracias porque tienes un plan mejor para mi vida! ¡Gracias Jesús!"

Desde aquel momento, Omar entregó su vida a Dios, y a partir de ese día fue feliz. No es que ya no tuvo nunca más un problema; tuvo muchos, algunos tan dolorosos como fue la pérdida de su matrimonio, pero hoy vive en paz, seguro de que no está solo, disfrutando la presencia de quienes lo aman de verdad. A pesar de los problemas, nunca más volvió a beber ni a consumir drogas. Tampoco volvió a pensar en suicidarse, más bien vive fortalecido por la compañía inamovible de Jesús, su gran Amigo y Sustentador.

Omar llegó a ser algo así como mi padre espiritual. Me enseñó a amar más a Jesús y a ver en Cristo a un Dios misericordioso y perdonador. Esta historia es real y comprobable. Yo conocí a Omar y vi lo que Dios hizo y sigue haciendo en su vida, y entendí una vez más que **¡todo es posible si uno decide creer!**

¿Creerás tú?

1. Angel Balán, "Kurt Cobain y su desgarradora nota de suicidio", *La Verdad*, 05 abril 2019, en www.laverdadnoticias.com/espectaculosy-su-DESGARRADORA-nota-de-suicidio-a-25-anos-de-su-muerte-20190405-0063.html.

Para reflexionar

1. ¿Con qué compara Salomón la vida?

2. Según el autor, ¿es posible ser feliz? ¿Cómo?

3. ¿Quién visitó a Omar en la ambulancia?

Capítulo 4

Es posible renacer

Aconteció que, estando Jesús junto al lago de Genesaret, el gentío se agolpaba sobre él para oír la palabra de Dios. Y vio dos barcas que estaban cerca de la orilla del lago; y los pescadores, habiendo descendido de ellas, lavaban sus redes. Y entrando en una de aquellas barcas, la cual era de Simón, le rogó que la apartase de tierra un poco; y sentándose, enseñaba desde la barca a la multitud. Cuando terminó de hablar, dijo a Simón: Boga mar adentro, y echad vuestras redes para pescar. Respondiendo Simón, le dijo: Maestro, toda la noche hemos estado trabajando, y nada hemos pescado; más en tu palabra echaré la red. Y habiéndolo hecho, encerraron gran cantidad de peces, y su red se rompía. Entonces hicieron señas a los compañeros que estaban en la otra barca, para que viniesen a ayudarles; y vinieron, y llenaron ambas barcas, de tal manera que se hundían. Viendo esto Simón Pedro, cayó de rodillas ante Jesús, diciendo: Apártate de mí, Señor, porque soy hombre pecador. Porque por la pesca que habían hecho, el temor se había apoderado de él, y de todos los que estaban con él, y asimismo de Jacobo y Juan, hijos de Zebedeo, que eran compañeros de Simón. Pero Jesús dijo a Simón: No temas; desde ahora serás pescador de hombres. Y cuando trajeron a tierra las barcas, dejándolo todo, le siguieron. San Lucas 5:1-11

Es posible renacer

Él había pasado toda lo noche sin pescar nada. Era extraño, porque la oscuridad ofrece el mejor escenario para pescar. Pero en aquel lago de aguas cristalinas los peces parecían huir hacia las profundidades al menor movimiento en la superficie. La pesca era el medio de sustento para Simón y su familia, pero esta vez no había tenido suerte.

La pesca infructuosa es frustrante para cualquier pescador que vive de ese trabajo. Sin pescados no hay dinero para llevar al hogar. Un día sin ganarse el sustento puede significar todo un mes de ansiedad, carencias y privaciones. Cuando se vive al día, ganando lo suficiente solo para pagar cuentas, alquiler y comida, una pesca infructuosa puede ser muy perturbador.

Esa mañana, Simón estaba frustrado, preocupado y nervioso. ¿Cómo resolvería el asunto? ¿Cómo mirar a su mujer y a sus hijos para decirles que no había dinero para comer? ¿Cómo atreverse a volver a pedirles prestado a sus amigos? Simón tenía buenos amigos, pero ellos también tenían necesidades, como él. ¿Pedirles ayuda no sería abusar de la amistad? La desesperación nos lleva a menudo a caminos oscuros y a los límites de la desvergüenza.

Pero aquella mañana él necesitaba una solución, no palabras, algo concreto, real, palpable. Cuando llegó a la playa, se encontró al Maestro galileo hablando, enseñando, contando historias, "entreteniendo a la gente". ¿Entreteniendo a la gente? Parecía más que eso. Aquellas personas se veían diferentes mientras lo escuchaban. El Maestro sabía cómo formar nuevas frases con palabras tan antiguas como el viento. Sus dichos tenían la fuerza de una tempestad que irrumpe desmoronando los preconceptos obtusos, los estereotipos tontos, la sinrazón de la existencia materialista que nos lleva a cuestionar nuestra existencia y la participación de Dios en ella.

¿Acaso no era eso lo que Simón también sentía? En el fondo de su frustración le echaba la culpa a Dios por su desgracia. Eso es tan humano como las contradicciones. Siempre que el ser humano tiene un problema que no puede ni sabe resolver, se ve tentado a pensar que está solo ante la adversidad, y se siente abandonado por Dios. Supone que Dios está demasiado lejos como para ayudarlo. Después cuestiona si merece o no su ayuda, y concluye que por más que Dios sea poderoso, uno mismo es demasiado pecador como para recibir su favor. Sea una cosa o la otra, parece lógico no recibir ayuda de Dios. Entonces, ¿para qué buscarlo?

Esos razonamientos absurdos a veces nos controlan y nos alejan de la posibilidad de encontrar consuelo y soluciones en Dios. Pero este Maestro galileo era diferente. Parecía que cuando la gente lo escuchaba, olvidaba sus preocupaciones. Pero, ¿qué se soluciona con no pensar en los problemas? Estos siguen ahí. No se fueron, no se resolvieron.

Sí, todo eso era cierto, pero parecía que en las palabras de este Maestro había más, mucho más. Había un poder que parecía generar y sostener la vida misma. Pero Simón seguía necesitando una solución concreta en la vida real. Las historias, las palabras, las filosofías, los cuentos no eran para él. Él era práctico, rudo, tosco, explosivo, colérico, combativo, aguerrido, trabajador, poco estudioso y poco sentimental. Pero era un gran amigo, capaz de dar la vida por una causa si sentía que valía la pena. En lo realista y práctico de su temperamento no lo convencían las palabras, sino los hechos. Por eso, Simón no iba a escuchar al Maestro galileo; prefirió recoger y lavar las redes, que era más práctico y productivo para él.

Entonces, el Maestro vino a su encuentro. No era como los maestros soberbios, que esperaban que los ignorantes alumnos vinieran a ellos para deslumbrarlos con su sabiduría. Este Maestro era diferente. Se acercaba, buscaba a sus discípulos, no porque los necesitaba sino porque ellos lo necesitaban a él. No los buscó porque ellos tuvieran algo para darle, sino porque era él quien tenía algo para ellos. Los buscaba porque quería ayudarlos, independientemente de sus condiciones. Él solo quería servir.

El Maestro pidió permiso para sentarse en la barca y seguir enseñando a la multitud, aunque pareciera que lo que más anhelaba era que Simón escuchara. Pero a Simón no lo convencían las palabras; él quería hechos. Por eso el Maestro abandonó su discurso para enseñar con el ejemplo. Decidió mostrar en la práctica lo que significan las palabras que esparció como semillas vivas.

—"Boga mar adentro, y echad vuestras redes para pescar" (S. Lucas 5:4). Dejemos las palabras y vamos a los hechos.

—"Maestro, toda la noche hemos estado trabajando, y nada hemos pescado; mas en tu palabra echaré la red" (vers. 5).

Es posible renacer

Vamos a ver si tus palabras son tan poderosas como dicen —pensó Simón. Hasta ese día, él había intentado todo en base a sus capacidades, su instinto y su fuerza. Era un hábil pescador. Tal vez pensó: *Este galileo podrá ser un gran rabino (maestro), ¡pero de pesca no sabe nada! No hay lógica en echar redes para intentar pescar a plena luz del día.* Por eso Simón aclaró delante de todos que echaría las redes por pedido, por la palabra, en el nombre del Maestro. Lo que lo movió a decir esas palabras no fue un acto de fe, sino un intento por no quedar en ridículo. Si echaba las redes y no pescaba, la culpa no sería suya. Su reputación de buen pescador no sería cuestionada; en todo caso quedaría bien como alguien condescendiente que no quiso contradecir al Maestro predicador en uno de sus caprichos.

Fuere lo que fuere, él no perdería nada. Y lo hizo, y a partir de ese simple acto de echar las redes para pescar, y hacerlo por la palabra del Maestro, la vida de Simón cambió para siempre. Aun su nombre pasaría de Simón a Pedro (piedra pulida, canto rodado).

La barca comenzó a moverse, como si el lago sereno se hubiera convertido en un mar tempestuoso. Se movía porque la red se había llenado de tantos peces que estaba a punto de romperse. Pero, ¿de dónde salieron esos peces? ¿Era mago este hombre, que hacía aparecer peces de la nada? ¿O era más que eso? ¿Y qué tal si se trataba del mismo ser que en el quinto día de la creación mandó que las aguas produjeran peces y se llenaran de ellos?

Pedro reaccionó, porque lo que estaba ocurriendo era real. Los peces estaban en la red. No había quedado en ridículo; al contrario, el Maestro galileo lo hizo lucir como un héroe, porque no solo tendría peces para vender o canjear, sino que Juan y Jacobo, sus amigos, tendrían qué comer. ¡La pesca fue tan buena que hubo para todos y mucho más! Este Maestro era más de lo que Pedro imaginaba. Las palabras del Galileo se materializaron y esos hechos se transformaron en lanzas que penetraron la conciencia y extirparon el cáncer de la incredulidad y la fantasía.

Pero el raciocinio de Pedro no captó lo que estaba pasando. Solo había una explicación: en ese momento se encontró frente al mismo Dios, el Creador del cielo y de la tierra, el Dios que se hizo carne. No lo pudo explicar, como tampoco pudo explicar de dónde salieron aquellos peces. Una cosa sí supo: todo era real.

Todo es posible

Una vez que supo que estaba delante del Dios santo, cayó de rodillas y exclamó: "Apártate de mí, Señor, porque soy hombre pecador" (vers. 8). Pedro creyó que no merecía el favor de Dios. Aunque estaba en lo cierto, lo que él descubrió es que ese santo Dios hecho hombre vino a buscar a los pecadores para transformar sus vidas y darles un futuro mejor. Y lo hizo, tratando con cada ser humano de manera distinta; dándonos lo que necesitamos exactamente, para entender nuestra necesidad de él.

Jesús le dijo a Simón Pedro: "Desde ahora serás pescador de hombres" (vers. 10). Ya que te gusta la acción, conmigo la tendrás. La fe que transforma es activa. Y desde aquel día, Simón Pedro, "dejándolo todo, lo siguió" (vers. 11), porque entendió que este Maestro galileo, que es el santo Dios encarnado, jamás lo defraudaría. Aunque le fallemos, porque somos pecadores, jamás nos abandonará. A causa de nuestro pecado, lo necesitamos con mayor urgencia.

***

Llamaron a la puerta de mi casa y fui a ver quién era. Allí encontré a un niño de unos ocho o nueve años. Se llamaba Nelson. Su padre lo había enviado a buscarme para que le enseñara la Biblia. Yo llevaba aproximadamente cuatro años conociendo al Maestro por medio del estudio de su Palabra. Me encantaba compartirla con la gente, y muchos sabían esto en mi barrio.

Ese día Nelson me pidió que fuera a su casa para que hablara con su padre. Al llegar a su casa, me atendió el padre de Nelson. Era chileno, y se llamaba Pedro, y era cocinero de un barco de pescadores. Aquel hombre había sido cristiano en su niñez y juventud. Había estudiado algunos años en una escuela cristiana en la ciudad de Chillán, en Chile. Estaba casado y tenía varios hijos. Llevaba muchos años alejado de Jesús. Su esposa asistía a mi iglesia y siempre me hablaba de él.

En aquellos días, Pedro tuvo un sueño aterrador. En su sueño, o pesadilla, él veía en el cielo una nube que crecía y se convertía en el regreso de Jesús a esta tierra. Así lo describe la Biblia. El escritor Mateo lo presenta de esa forma en su Evangelio, y así se expone en el estudio bíblico al final de este libro. Será un suceso glorioso, pero también determinante, ya que quienes no estén preparados no lo podrán resistir.

Es posible renacer

Por eso, para don Pedro fue una pesadilla. El veía que el Señor volvía y toda su familia se iba con Jesús, menos él. En aquel sueño sintió el desconcierto que provoca una verdad sorda y reprimida, que se escondió durante un tiempo para salir finalmente a la luz. Era una horrenda expectación de juicio. El impacto que le provocó esa pesadilla lo llevó a replantearse muchas cosas de su vida y futuro.

Muchos parecemos hijos del rigor. Cuando algo nos sacude, entonces prestamos atención a las esencias; mientras tanto, seguimos viviendo en lo banal y superficial. Mucha gente corrige algunas cosas al dejarse llevar por el impulso que causa el miedo, pero esos cambios no suelen durar. Llegaría a comprobarlo con la experiencia que viviría con aquel señor de casi sesenta años.

Aquella tarde, al llegar a su casa, don Pedro me recibió. Fue muy cortés y amable. Me convidó con un té de hierbas y me invitó a sentarme con él en la sala donde se recibía a las visitas. Comenzó a hablar, y así estuvo durante casi una hora. No me dejaba espacio para intervenir en su exposición teológica, ya que su monólogo giraba en torno de sus lecturas de aquellos últimos días, previos a mi visita. Me contó sus inquietudes y sus conclusiones.

En algún curso teológico me habían enseñado que en la primera visita a alguien interesado en estudiar la Biblia era necesario escuchar primeramente lo que tenía que decir el anfitrión. Y así lo hice esa tarde. Me retiré de aquella casa sin haberle dado a don Pedro su primer estudio bíblico.

Me prometí que la próxima vez sería diferente. Quedamos que volvería en dos días, y así fue, pero las cosas no cambiaron en nada. Don Pedro volvió a recibirme en su casa y todo fue igual que la vez anterior. Él habló y yo escuché, y tampoco ese día pude darle el estudio.

Don Pedro era una persona mayor; yo, un simple muchacho de 22 años. Él pensaba que por mi corta edad no aprendería mucho conmigo. Sin embargo, fue él quien mandó a buscarme. Yo no podía entender bien lo que estaba pasando. Algo me decía que si todo seguía así, no pasaría mucho tiempo para que don Pedro volviese a sus costumbres antiguas, sobre todo a la bebida. Ese había sido por décadas el problema principal de don Pedro: bebía mucho, en alta mar y en tierra.

Todo es posible

Dos veces más volvió a suceder lo mismo. Yo me estaba desanimando, pensaba que don Pedro necesitaba un psicólogo, no un instructor bíblico.

La tercera semana que fui a su casa me encontré con lo inevitable. Don Pedro me volvió a atender, pero esta vez estaba borracho. Me hizo pasar, como las otras veces. Nos dirigimos a la sala y comenzó a hablar y hablar. Yo estaba indignado. Me parecía muy irreverente hablar de la Biblia con alguien que estaba en ese estado de embriaguez. Eso era un agravio a la santidad de Dios. Eso pensaba yo. Pero escuché otro monólogo de Don Pedro.

Salí muy disgustado. No podía aceptar la desvergüenza de ese hombre que se atrevía a hablar del Dios santo estando borracho. Pero yo no me daba cuenta de que su condición era la causa por la que necesitaba hablar de Dios y buscarlo. No me daba cuenta de que jamás estaremos lo suficientemente limpios y aptos para hablar de él. Un día comprendí que tanto don Pedro como yo éramos prisioneros de un vicio: don Pedro del alcohol, y yo, del prejuicio.

El prejuicio suele ser uno de los peores vicios, y el prejuicio religioso aun más: el orgullo santificado, la soberbia espiritual. Es el mal que ha dividido al cristianismo y a las razas. Ha causado guerras "santas" en el supuesto nombre del Señor Dios Todopoderoso, cuando la mayoría de las veces, ese "señor" no es otro que nuestro propio corazón egoísta que nos hace creer que Dios se mueve por nuestros caprichos y por nuestra condición de "iluminados".

Después de aquella tarde no volví a la casa de don Pedro. Pasaron como dos meses y me invitaron a participar de un proyecto de evangelización en Europa. Muchos se enteraron de que me iría a España. Don Pedro se enteró también y me mandó a llamar nuevamente con su hijo Nelson. Decidí ir a verlo. Cuando llegué a su casa, lo encontré borracho. Esta vez me recibió su esposa, un tanto avergonzada.

Don Pedro me invitó a pasar a la cocina. Allí tenía su botella de vino y un vaso por la mitad. Me ofreció algo de comer, pero no acepté. Solo quería irme lo más pronto posible. No encontraba razón para estar allí. Pero el hombre, al enterarse que me iba a Europa, quiso agasajarme con una despedida. Me agradeció no solo por haber ido esa tarde, sino también por las veces anteriores. Pero ocurrió algo que detonó en mí una indignación mayor. Me dijo:

—Quiero orar por ti.

¿Orar? ¿En ese estado? —pensé. Yo creía que Dios no podía escuchar esa oración. *Este hombre está loco* —pensé también. Pero él oró por mí. Le pidió a Dios que me fuera bien en España. Yo estaba asustado, esperando que nos cayera un rayo encima de la cabeza, o algo así.

Me fui a Europa. Estuve varios meses por allá, y parece que Dios escuchó la oración de don Pedro, porque me fue muy bien. Regresé a mi país solo de pasada, ya que había determinado irme a estudiar y a trabajar en Puerto Rico. En mi paso fugaz por mi ciudad, no supe nada de don Pedro.

Ya estando en Puerto Rico, en una de las tantas llamadas a mi familia, mi padre me comentó que don Pedro se había retirado de su trabajo como pescador. Al tener más tiempo libre, se agravó su adicción. Ahora bebía todos los días. Fue muy triste escuchar eso. Recordé las veces que había ido a su casa y cómo él había desaprovechado ese tiempo de paz para buscar de todo corazón al único que produce cambios permanentes.

Pasó más de un año hasta que regresé a mi tierra. Me pidieron que predicara en la iglesia donde fui miembro, y acepté. Mientras predicaba, miraba en la tercera banca del frente, en una esquina, un rostro conocido. No estaba seguro en reconocerlo, ya que había algo diferente en esa persona. Al finalizar el servicio, lo pude comprobar: era don Pedro. Lo saludé y nos sentamos a charlar.

Me dijo:

"Me pasaron muchas cosas desde que te fuiste a España. Me sentí muy mal a causa del modo en que te traté, porque no me dejé ni una vez siquiera darme un estudio bíblico. Me reproché mi forma de ser, orgulloso, obstinado, creyéndome un sabelotodo".

Le dije que no se sintiera mal, que de mi parte no había ningún problema. Entonces me contó más:

"Cuando me retiré de mi trabajo, me descarrilé totalmente. Bebía mucho. Por las noches volvía a casa muy pasado en copas. Una noche dormí fuera de casa por mi estado deplorable. Sentía que ya no tenía remedio.

Todo es posible

"Una madrugada llegué a casa ebrio de nuevo. Fui al cuarto de mi hijo menor, y mientras lo veía durmiendo, me sentí culpable. Sabía que él me estaba esperando, y yo no llegué a tiempo para darle las buenas noches. Recordé que mis demás hijos andaban descarriados, y me sentí aún más culpable. Entré en mi habitación y vi a mi pobre mujer dormida, que también me había estado esperando toda la noche. Sabía que ella oraba por mí, y al recordarlo me dio fuerzas para caer de rodillas y pedirle a Jesús que hiciera algo conmigo, que me hiciera reaccionar y 'me tirara del caballo'.

"Me quedé dormido, orando, en el sillón de la sala. Días después, sentí un dolor intenso en la parte baja de mi espalda y en el vientre. Fui al médico, y después de varios estudios me diagnosticaron cáncer de próstata y de riñón. Me pronosticaron dos meses de vida. El médico se entristeció. Yo no. Le había pedido a Dios que hiciera algo conmigo, y él estaba actuando. Así lo tomé.

"Reuní a mi familia y les compartí el diagnóstico. Hubo llantos, también abrazos, muchas manifestaciones de amor. Me di cuenta cuán privilegiado soy por tener una familia tan buena, a pesar de lo que yo era. Ellos me dijeron que fuera a Chile a hacerme un tratamiento muy costoso que podía alargarme la vida un tiempo más. Accedí. La noticia de mi enfermedad llegó a la iglesia. Los jóvenes se ofrecieron para dirigir una semana de oración y pedir por mi salud. Cada noche la iglesia se llenaba. Invité a muchos, y vinieron. Al final de esa semana, el pastor de la iglesia me bautizó. Tu padre, don Julio, me ungió.

"El domingo, después de mi bautismo y ungimiento, debía partir a Chile. Pero decidí no ir. Don Julio y el pastor de la iglesia llegaron a casa para llevarme a la terminal de autobuses para tomar el que me llevaría a Chile. Cuando ellos se enteraron de que no iría, me preguntaron el porqué. Les dije que no podía exponer a mi familia a pasar penurias económicas por mí. Les dije también: '¿No me ungieron ustedes? ¿No me bautizaron? ¿Qué más debo hacer? ¡Mi vida está en las manos de Dios!' Han pasado más de catorce meses de aquel diagnóstico, y aún estoy aquí. Le dije a Dios que si todavía le servía para algo, que me preservara la vida. Si no, que me pusiera a descansar en paz, porque ahora siento paz de verdad.

Es posible renacer

La historia de don Pedro me impactó profundamente. ¡Dios lo había sanado! Él prosiguió:

"Julio, Dios me hizo tragar el orgullo. Me 'tiró del caballo' como a Pablo, pero luego me levantó. Me dio un milagro, como a Pedro. Me rescató, me perdonó. Me quitó las adicciones. Arrancó de mi alma la adicción al alcohol y me sanó del cáncer. ¿Qué más puedo pedirle a Jesús?"

Luego de unos días volví a Puerto Rico. No regresé a mi tierra hasta cinco años después. Ya estaba casado, y mi esposa y yo fuimos a dirigir una breve serie de conferencias de evangelización. Don Pedro aún vivía; era el director misionero de la iglesia. De miércoles a sábado la iglesia se llenó como nunca antes. No fue por mi predicación ni por la novedad de escuchar cantar a mi esposa. Venían atraídos por don Pedro, el verdadero motor de aquella cruzada de fe.

Al finalizar las conferencias, 42 personas fueron bautizadas. Esa fue la ceremonia bautismal más numerosa en la iglesia del sur de Mar del Plata. La mayor parte de esa gente fue instruida, invitada y traída por don Pedro. Como al Pedro de la historia bíblica, a este otro Pedro Jesús también lo llamó desde el mar turbulento de la vida para convertirlo en un pescador de almas para Cristo.

Hoy, don Pedro descansa en el Señor, en la esperanza bienaventurada de ese glorioso día cuando habrá de encontrarse con el Maestro galileo, quien le devolvió la dignidad mediante un milagro de conversión, y el milagro de sanidad de un cáncer terminal.

Nadie me contó esta historia, no la leí en un libro, yo mismo la viví. Fui testigo de la vida nueva de aquel hombre transformado. Y una vez más entendí que con Jesús **¡todo es posible si uno decide creer!**

¿Creerás tú?

Para reflexionar

1. ¿Cómo describe el autor a Simón Pedro?

2. ¿Cómo trabajó el Maestro de Galilea con Simón Pedro?

3. ¿De cuál enfermedad fue sanado Don Pedro?

Capítulo 5

Es posible salvar el hogar

Al tercer día se hicieron unas bodas en Caná de Galilea; y estaba allí la madre de Jesús. Y fueron también invitados a las bodas Jesús y sus discípulos. Y faltando el vino, la madre de Jesús le dijo: No tienen vino. Jesús le dijo: ¿Qué tienes conmigo, mujer? Aún no ha venido mi hora. Su madre dijo a los que servían: Haced todo lo que os dijere. Y estaban allí seis tinajas de piedra para agua, conforme al rito de la purificación de los judíos, en cada una de las cuales cabían dos o tres cántaros. Jesús les dijo: Llenad estas tinajas de agua. Y las llenaron hasta arriba. Entonces les dijo: Sacad ahora, y llevadlo al maestresala. Y se lo llevaron. Cuando el maestresala probó el agua hecha vino, sin saber él de dónde era, aunque lo sabían los sirvientes que habían sacado el agua, llamó al esposo, y le dijo: Todo hombre sirve primero el buen vino, y cuando ya han bebido mucho, entonces el inferior; más tú has reservado el buen vino hasta ahora. Este principio de señales hizo Jesús en Caná de Galilea, y manifestó su gloria; y sus discípulos creyeron en él. San Juan 2:1-11.

N adie se casa pensando en el fracaso. Eso no significa que no habrá problemas. En algún momento estos aparecerán. Pero nadie espera que ocurran tan pronto, en la misma fiesta de bodas. Eso sucedió en una boda en Caná de Galilea. En las bodas de los tiempos bíblicos no había tanto estrés como en las de ahora. Hoy,

Es posible salvar el hogar

los contrayentes se angustian desde la víspera de la ceremonia. Todo debe estar en su lugar: flores, decoración, participantes, alfombras, piano, equipo de sonido, mesas, velas, micrófonos, autos, comida, salón de recepción, fotógrafo, camarógrafo, proyector, computadora, pantalla, ropa nupcial; y después de la boda, pasajes para el viaje de luna de miel, reservaciones de vuelo o alquiler del auto, reservaciones del hotel, y la lista podría continuar, dependiendo de los novios.

¿Será por eso que en los Estados Unidos ha disminuido el porcentaje de personas de entre 18 y 64 años que deciden casarse? Según las estadísticas, los que más se casan en estos tiempos son las personas mayores de setenta años.

Las ceremonias y fiestas nupciales del tiempo de Jesús no tenían las complicaciones y detalles de las ceremonias actuales, pero duraban varios días. El novio debía proveer todo para que los invitados la pasaran bien y celebraran con alegría la unión de las dos familias. A los parientes que venían de lejos se les proveía lugar para descansar, comidas y bebidas para la celebración.

Jesús en una boda

Jesús comenzó su ministerio en una boda, a la que asistió junto con su madre y sus discípulos. Como buena madre, María anhelaba que todos pudieran ver en su Hijo un personaje sobresaliente, pues muchos padres se alegran cuando sus hijos son reconocidos por algún logro. Desde la concepción, María supo que su Hijo era especial. Ahora, anhelaba que toda su familia viera en su Hijo la esperanza de Israel; también deseaba desterrar toda sospecha sobre su origen y nacimiento. Si él lograba hacer algo que contribuyera a estos propósitos, ella sería muy feliz. Y esa oportunidad llegó.

Alguien se acercó al maestresala y le dijo que el vino se había acabado. María estaba emparentada con los contrayentes, y al enterarse de la emergencia, pensó que su momento soñado había llegado. ¿Complacería el Maestro a su madre? Aquel que había declarado en el monte Sinaí, "honra a tu padre y a tu madre", ¿haría algo diferente?

Todo es posible

Imagino a los ángeles del cielo viendo a su poderoso Líder encarnado en esta encrucijada. Si complace a su madre, ¿no se arriesga a ponerla en una posición de privilegio que la haga creer que puede manejar el ministerio de su Hijo? ¿Cómo seguir el plan divinamente trazado sin dejar de ser un buen Hijo?

El Maestro es sabio. Sabe cómo manejar situaciones difíciles. Su madre se acerca y le dice: "No tienen vino". En nuestra cultura, la respuesta parecería áspera, aunque hoy muchos hijos suelen ser altaneros con sus padres. Pero en aquella época esta era una respuesta respetuosa, normal. "¿Qué tienes conmigo mujer? Aún no ha llegado mi hora". Estas palabras dejan en claro varias ideas:

- *"Qué tienes conmigo mujer"*. Jesús le recuerda a María que aunque él es su Hijo, primero es el Salvador del mundo, y que hay un Padre celestial que dirige sus pasos.
- *"Aún no ha llegado mi hora"*. Hay un plan trazado que Jesús debe cumplir. Nadie debe alterar este plan, ni siquiera María. Pero al acceder a su petición, Jesús demostrará que, siempre que pueda sin alterar el divino plan, oirá las súplicas de los que ama, porque le son muy caros a su corazón. Además de agradar al Padre celestial, Jesús no ha de alterar el plan redentor divinamente trazado por causa de los pecadores, porque procura su bien eterno. La expresión: "No ha llegado mi hora" en conexión con el "vino" que simboliza la sangre, nos remite al significado de este plan.

El plan de salvación

El plan divino tiene que ver con la salvación de la humanidad, que debe ser lograda por alguien puro, sin pecado. Por eso, el vino sin fermentar representa su sangre sin mancha, ya que el fermento es símbolo de pecado. Ese vino representa la sangre que será derramada en lugar de la sangre de los pecadores, quienes debieran morir por sus pecados. Ese plan revela que Dios no quiere la muerte de los pecadores, porque los ama con un amor más grande que la muerte. Ese plan divino nos habla del amor de un Creador que fue traicionado por su criatura, pero que decidió perdonar y restaurar, y acompañar al pecador en el proceso de su restauración. Ese plan divino revela que Dios no deja de hacer lo que es justo, ya que cobra la deuda del pecador. Jesús mismo ha de pagar la deuda, que es terrible. "La paga del pecado es muerte" (Romanos 6:23). El pecador no puede salvarse a sí mismo. Por eso Dios lo salva.

Ese plan divino nos muestra que Dios no cambia. Sigue exigiendo obediencia perfecta para otorgar eternidad. Por eso, el hombre que intente recuperar lo que Adán perdió debe ser perfecto. Y habiendo ganado la eternidad, puede canjearla con el pecador, para que el pecador encuentre garantía en ese Hombre perfecto que merece eternidad, y que decidió compartirla con nosotros. "Así como por la desobediencia de un hombre (Adán), los muchos fueron constituidos pecadores, así también por la obediencia de uno (el Maestro galileo), los muchos serán constituidos justos" (Romanos 5:19).

La expresión "no ha llegado mi hora" en conexión con el "agua" que simboliza la limpieza nos remite a otra realidad. Nos invita a encontrar en Dios el perdón de los pecados, la sanidad del alma, la limpieza interior, la liberación de la culpa. Es el inicio de una nueva vida, la oportunidad de comenzar con la hoja de   vida en blanco. Esa agua que refresca se ofrece al sediento, al buscador sincero de la felicidad. Es agua viva que brota de uno para refrescar a otros. Es un manantial inagotable, fuente de vida.

El planeta vive por el agua. Sin agua no hay vida. Agua hecha vino: vida mejorada, alegría asegurada, gozo pleno, bendición constante. Jesús es bendito para bendecir, próspero para prosperar. Agua y sangre: lo que brotó de su costado en la cruz. Seguridad de salvación y restauración para vivir una vida nueva.

El Maestro sabe que su madre desea que todos lo vean como alguien especial. Entonces la complace, no porque altera el plan, ya que al recordarle primero a ella quién es él y que hay un plan trazado que él no alterará, protege a su madre del orgullo humano para que ella también se someta a ese plan. El orgullo nos lleva a la independencia y no nos permite someternos a Cristo.

Todo es posible

Ella entiende. Sonríe, y dice a los encargados: "Haced todo lo que os dijere" (S. Juan 2:5).

María sabe que él es capaz de hacer maravillas. Sabe que quiere ayudar a las parejas, y de hecho, fue él quien instituyó el matrimonio. El libro de Génesis nos cuenta que Dios creó los cielos y la tierra, a las criaturas, al hombre y a la mujer (Génesis 1:26, 27). Y bendijo esa unión matrimonial (vers. 28).

Creador del mundo y del matrimonio

San Juan comienza su Evangelio como Moisés comienza el Génesis, con la declaración: "En el principio". Luego Moisés relata la creación del planeta y la institución del matrimonio. Juan hace algo similar. Habla de Jesús como Creador: "Todas las cosas por él fueron hechas, y sin él nada de lo que ha sido hecho, fue hecho. En él estaba la vida, y la vida era la luz de los hombres" (S. Juan 1:3, 4). Luego, en el capítulo dos, nos cuenta de este primer milagro del Maestro en su ministerio terrenal, confirmando que Dios todavía valora el matrimonio. Por lo tanto, Jesús está a favor de la familia y de la armonía familiar.

En aquella ocasión lo demostró. La falta de vino en una boda en tiempos de Cristo era tomada como falta de respeto hacia los invitados. Era considerado un acto descortés y de poca previsión. El contrayente, pariente de su madre, quedaría avergonzado. Pero el Maestro de Galilea jamás nos expone a la vergüenza, porque es un amigo verdadero. Si alguna vez te has sentido avergonzado ante los demás, podrás entender lo que esto significa. En aquellos días, una situación como esta podría marcar para siempre como irresponsable al novio, a los cónyuges y a toda la familia de ambos. Todos quedarían disgustados.

En nuestros tiempos hay muchas familias frustradas, cargando heridas del pasado, sin encontrar sanidad en ninguna parte. Aunque el Maestro puede sanar heridas como estas, aquel día prefirió actuar para evitarlas. Mandó llenar seis enormes tinajas de agua. ¡Parecía una locura! Se necesitaba vino, no agua.

El milagro

No hay manera de que el agua, una sustancia cuya molécula está

Es posible salvar el hogar

compuesta por dos átomos de hidrógeno y uno de oxígeno, se convierta en vino. Aunque la uva contiene un 85 por ciento de agua, también tiene otros ingredientes, como glucosa, ácido tartárico, cítrico y málico. Y hay quienes aseguran que, dependiendo del tipo de uva, pueden encontrarse alrededor de 4.000 moléculas distintas.

Lo que sucedió en Caná de Galilea fue un milagro. El milagro es un evento sobrenatural que rompe las leyes físicas regularmente conocidas, logrando que lo imposible sea posible, palpable y comprobable. Se define también como un suceso extraordinario y maravilloso que no puede explicarse por las leyes regulares de la naturaleza, y que se atribuye a la intervención de Dios o de un ser sobrenatural.

Los ateos no aceptan los milagros como un acto divino. Ellos lo consideran una carencia de sentido común. Eso está asociado a la idea de que hay cosas que desconocemos y que por falta de instrucción no podemos entender. Para la ciencia, los milagros no son realizados por un ser sobrenatural del que no puede ser comprobada su existencia a través del método científico. La realidad es que existen eventos de carácter sobrenatural que no podemos explicar. También es posible que esa "carencia de sentido común" no sea otra cosa que el desconocimiento de un Dios que, aunque no podamos comprobar su existencia a través del método científico, ha hecho cosas que sí se pueden comprobar como reales y verdaderas, por ejemplo, la creación del ser humano.

Complejo es el cuerpo humano, el mundo, el universo. No hay manera de que todo esto se haya formado por casualidad. Los científicos ateos tampoco pueden explicar el origen de esas cosas, pero la lógica nos puede ayudar a aceptar que debe existir un ser superior, inteligente y capaz de diseñar todas estas cosas. Tiene más sentido y lógica aceptar la existencia de Dios que creer que somos el fruto de la casualidad. Porque si es así, esa casualidad es tan perfecta que deja de ser casualidad para convertirse en un dios.

La fe

En el relato del Evangelio, el apóstol Juan adjudica ese milagro a un hombre: el Maestro galileo llamado Jesús. De Jesús podemos conocer muchas cosas en los evangelios y otros escritos bíblicos. Lo más significativo es que pretende establecer una relación con nosotros que se traduce en una experiencia de fe.

Por la fe, la acción de ejercer confianza en lo que no vemos, podemos descubrir lo desconocido. No necesitamos comprobar nada, ya que por esa fe miramos lo invisible y entendemos cómo fueron creados los cielos y la tierra. Por esa fe conocemos a Dios, aquel cuya existencia no se puede comprobar por el método científico, pues se nos revela de otra manera.

El método científico es humano; Jesús no lo es, pero porque nos ama, se encarnó para enseñarnos cómo es él. Oh, sí, Jesús, el Maestro de Nazaret es el mejor método dado a los hombres para conocer a Dios, pues, quien conoce a Jesús conoce a Dios (ver S. Juan 14:7, 9).

En aquel día el agua se convirtió en vino, y por ese acto, sobrenatural para nosotros y natural para él, salvó la reputación de una familia. Protegió a un matrimonio, se evitó un problema familiar, se mantuvo la alegría en una fiesta, se honró a una madre, se fortaleció la fe de unos discípulos y se despejaron las dudas y sospechas que ensombrecían la reputación de una mujer de bien. Este acto milagroso sorprendió a los asistentes y bendijo al anfitrión. Se dio la oportunidad a hombres sencillos de ser los protagonistas de un momento especial. ¡Cuántas cosas juntas con el simple acto de "¡hacer todo lo que él diga!"

***

En mi experiencia de caminar junto al Maestro, muchas veces lo he visto realizar maravillas, como esta que te voy a contar. Cuando fui pastor en la ciudad de Beaverton, Oregon, tuve como miembros de la junta de iglesia a dos personas que con mi esposa amábamos mucho. Él se llama Abraham, y ella Claudia. Ella fue secretaria de iglesia, y él uno de mis principales asistentes. Trabajábamos juntos codo a codo, y juntos también llegamos a ver muchas veces la mano del Señor obrando en la linda iglesia de Beaverton. Ambos fueron piezas clave en la dinámica de esta congregación, que crecía cada día.

Es posible salvar el hogar

Antes de que nos conociéramos, un fuerte viento huracanado sopló sobre la vida de Abraham y Claudia, haciendo aparecer entre ellos el fantasma del divorcio. Abraham había decidido divorciarse de Claudia, y ella aceptó la voluntad de su esposo. Decidieron permanecer juntos bajo el mismo techo durante un tiempo mientras organizaban las cosas para tramitar legalmente el divorcio, para que luego cada uno tomara su propio camino. Abraham había cometido el error de cortejar a otra dama. Su esposa, enojada por la situación, quiso hacer lo mismo, y empezó a conocer a otras personas. La situación era tan tensa y difícil que vivían discutiendo constantemente. Dormían en habitaciones separadas, aunque simulaban armonía para que los hijos no sintieran el impacto del problema que estaban atravesando.

Los días fueron pasando y Abraham se dio cuenta de que aún amaba a Claudia. Había algo en su corazón que no le permitía terminar para siempre con ese matrimonio. Se empezó a angustiar. Intentó acercarse a ella. Quiso hablar, pero ella estaba muy enojada. Ella no quería saber nada con él. Lo maltrataba cada vez que él se acercaba a ella.

Pero cierto día ocurrió algo interesante. El hijo mayor de Abraham y Claudia vio en el auto de la familia un recibo de gasolina cuya fecha era intrigante: 7 del 7 del 7 (7 de julio de 2007). Este detalle fue el punto de partida para que el hijo de Abraham, de unos quince años, dialogara con su padre:

—Papá, ¡hoy es tu día de suerte! —le dijo el muchacho.

—¿Qué? ¡Llevo meses sin suerte! ¡Años sin suerte! ¿Por qué me dices eso? —respondió Abraham.

—¡Mira el recibo! —y le mostró los tres números que marcaban la fecha: 7 / 7 / 07.

—¿Y qué significa eso?

—Es que una vez escuché que el 777 es un número de suerte.

—¡Ojalá que llegue la suerte a mi vida! —dijo el padre, e invitó a su hijo a conversar mientras manejaba rumbo al supermercado.

De pronto se encontró en una calle sin salida; hizo un giro en U y delante de él había un enorme cartel que anunciaba unas conferencias bíblicas sobre la familia. Y quien anunciaba esas conferencias era una iglesia cuyo nombre llevaba el número 7. Entonces él asoció lo que le había dicho su hijo con ese número, 7° día, y grabó mentalmente la dirección del lugar y la hora del evento. Luego dejó a su hijo en la casa, colocó la dirección en el GPS, y decidió llegar a ese lugar que anunciaba las conferencias, aquella congregación que tenía un 7 en su nombre.

¿Puede Dios valerse de una superstición para atrapar la atención de un hombre necesitado de Jesús? Finalmente, Abraham llegó a una iglesia donde se dictaban las conferencias bíblicas en la ciudad de Hillsboro, Oregon. Nadie lo conocía. Alguien lo saludó y lo invitó a entrar. Se sentó y escuchó la conferencia que el pastor invitado presentó magistralmente aquella noche. Mientras estaba escuchando la predicación, el predicador se dio vuelta, lo miró directamente a los ojos y le dijo: "Hoy, esa persona que hace días que no te habla, te va a hablar". Y continuó con su conferencia acerca de la reconciliación conyugal.

Abraham, sorprendido, pensó: *¿A mí? ¿Cómo sabe este hombre? No, esto debe ser uno de los tantos recursos manipuladores de los predicadores.* ¿Será que Dios usa a los "predicadores manipuladores"?

Abraham salió de aquel lugar convencido de que él también necesitaba de Dios. Llegó al estacionamiento para buscar su vehículo, y cuando se subía a su camioneta, sonó su celular. Cuando miró la pantalla, era el número de su esposa Claudia. Pensó: *¿Será verdad? ¿Puede estar pasando esto?* Decidió contestar. Se aclaró la garganta y dijo:

—¡Hum! ¡Hola! —así de seco y duro.

—¿Dónde estás? —preguntó ella.

—¿Por qué? —respondió él, intrigado.

—No. Nada. Solo pregunto —dijo ella con indiferencia.

Entonces, Abraham, un poco ansioso, le dijo:

—Dime una cosa: ¿Por qué me llamaste? Hace dos semanas que no me hablas. ¿Por qué me llamas ahora?

—No sé. Y si te molesta te cuelgo.

—¡No, no, no! Solo dime por qué me llamaste.

Es posible salvar el hogar

—No sé. Estaba acá en la casa y sentí un fuerte deseo de saber dónde estabas. Nada más.

—Yo sé por qué me llamaste —dijo él.

Ella se rió y respondió:

—¡Ah, sí! ¿Ahora también eres vidente?

Pero Abraham, pasando por alto la burla de su esposa, agregó:

—Hoy fui a una iglesia. Vine a buscar a Dios, y el predicador me dijo que tú me ibas a llamar.

Entonces Claudia se enfureció y le dijo:

—¡Seguramente le hablaste de mí a esos pastores! Seguramente me pusiste como una bruja. Como la peor mujer del mundo. Pero, ¿sabes qué? ¡Mañana voy a ir yo a hablar con esas personas y a decirles quién eres tú!

Entonces Abraham respondió:

—¡No, no, no! Yo no hablé con nadie. El predicador se dirigió a mí mientras predicaba y dijo eso.

—¡A mí no me hagas ese cuento ahora! —le respondió la esposa.

Estaba furiosa. Terminaron de hablar como pudieron. Él llegó a la casa, pero ella no le dirigió la palabra. Al otro día, Abraham se preparó para ir otra vez a la conferencia, y cuando salió para buscar el auto, vio a su esposa vestida para salir.

—¿Te pensabas ir sin mí? —preguntó ella.

—No sé. Yo no quise molestarte.

—Yo te dije ayer que hoy voy a ir. Esa gente me va a escuchar. Si me dejaste como una bruja y una mala esposa, ellos van a saber la clase de hombre que eres tú.

Ella estaba determinantemente decidida, y él no supo qué decirle. Puso el vehículo en marcha y manejó hasta el lugar. Cuando llegaron, ella se bajó y a la primera persona que se encontró fue al pastor Roger Hernández, que era el pastor principal de la iglesia. Entonces lo encaró:

—Le voy a decir una cosa. ¿Usted es el pastor de la iglesia? Mire, yo soy la bruja de la que seguramente este hombre les habló. Quiero contarles quién es él, y por qué me dejó mal parada delante de ustedes.

Todo es posible

El pastor Roger le dijo:

—No, tranquila. Yo no sé quién es usted. No sé quién es ese hombre al que está señalando. Pero si tiene algo que decirnos, venga, entre a mi oficina.

Entonces, el pastor Roger Hernández y el pastor Juan Caicedo, quien estaba predicando en esa semana, se entrevistaron con aquella dama que vació su corazón delante de estos siervos de Dios. Abraham se quedó en el templo, esperando, y cuando salió el predicador a presentar su mensaje, ella se sentó al lado de su esposo sin decir una palabra.

Escucharon toda la conferencia. Volvieron juntos al otro día, al otro día y al otro día. Se sentaban en silencio para escuchar la Palabra de Dios. Durante ese fin de semana concluiríamos todas las campañas de evangelismo en el Estado de Oregon con el campestre hispano. Así que ellos asistieron desde el lunes hasta el miércoles, y después fueron al campestre. Estando allí, se reconciliaron como esposos y empezaron a ver una puerta abierta de parte de Dios. La esperanza inundó sus corazones. Comenzaron a sanar emocionalmente. Se pidieron perdón mutuamente. Reconocieron que los dos estaban equivocados, que necesitaban a Dios, y decidieron dar un paso de fe para entregar sus vidas, su matrimonio y su familia en las manos de Jesús.

Llegó el sábado, el día del bautismo. Cuando iban manejando en la carretera, el auto se dañó. Empezó a salir fuego por todos lados. Lo interesante es que Abraham, mecánico de profesión, no podía entender qué estaba pasando. Su auto nunca había fallado. Él lo cuidaba mucho. Nada le faltaba a ese auto. ¿Por qué ahora, cuando iban camino al bautismo, ocurrió esto?

Entonces comenzaron a ir con el auto despacito, hasta que el vehículo ya no anduvo más. Se pararon al lado de la ruta e hicieron señales para que alguien los llevara cerca del lugar, y alguien los llevó hasta el campamento donde celebrábamos el campestre. Cuando estaban terminando de bautizarse las últimas dos personas, ellos llegaron corriendo, transpirados pero contentos, porque habían vencido juntos como matrimonio las vicisitudes de la vida para llegar a

Es posible salvar el hogar

los brazos de Jesús, quien haría que su matrimonio ahora estuviera completo. Y se bautizaron juntos. Jesús lo hizo una vez más.

Como aquel día que salvó la reputación de un hombre y bendijo a un matrimonio, Jesús demostró que él está dispuesto a sostener la familia, siempre que nos atrevamos a invitarlo a ser parte de nuestro hogar.

Abraham y Claudia fueron los instrumentos que el Señor utilizó para que nosotros, con mi esposa, muchas veces encontráramos solaz, tranquilidad y bendición en el seno del hogar de ellos. Así como el hogar de María y Marta y Lázaro fue un oasis de afecto para Jesús, el hogar de Claudia y Abraham lo fue para nosotros. Aún hoy es posible salvar el hogar y transformar la familia en un lugar sano y feliz. Así como ocurrió con esta pareja, puede suceder con otras también, si confiamos en él.

¡Tú también, atrévete a confiar en él! Prueba el método FE, y verás que es más seguro que el método científico. Descubrirás que tras la puerta de la fe existe un mundo maravilloso. La fe primero te estremece. El hecho de no tener control de las cosas te aterra, te asusta y estremece, pero cuando logras captar a Jesús, sobreviene la certidumbre. Es que Jesús le da sentido a la vida, te libera del miedo, despeja tus dudas, te infunde una paz que "sobrepasa todo entendimiento" (Filipenses 4:7) y te hace descansar en sus brazos que no conocen de imposibles. Cuando vivas esta experiencia, entenderás que **¡todo es posible si uno decide creer!**

¿Creerás tú?

Para reflexionar

1. ¿Qué le dijo María a su Hijo y cuál fue la respuesta de Jesús?

2. ¿Cuáles son las definiciones de milagros que nos ofrece el autor?

3. Según el autor, ¿cuál es el método para descubrir a Dios?

Capítulo 6

Es posible reír otra vez

Aconteció que yendo de camino, entró en una aldea; y una mujer llamada Marta le recibió en su casa. Esta tenía una hermana que se llamaba María, la cual, sentándose a los pies de Jesús, oía su palabra. Pero Marta se preocupaba con muchos quehaceres, y acercándose, dijo: Señor, ¿no te da cuidado que mi hermana me deje servir sola? Dile, pues, que me ayude. Respondiendo Jesús, le dijo: Marta, Marta, afanada y turbada estás con muchas cosas. Pero solo una cosa es necesaria; y María ha escogido la buena parte, la cual no le será quitada.
San Lucas 10:38-42

Ella solo podía mirarlo y sentarse a sus pies para escucharlo. Él era lo más importante para ella. Le había devuelto la vida. Había estado presente en los episodios más dramáticos de su vida. Le devolvió su dignidad y el perdón le infundió paz. Transformó su vida como ella jamás habría imaginado. Por eso, María no puede hacer otra cosa que amarlo, admirarlo y adorarlo mientras se sienta a sus pies para escucharlo cada vez que hay una oportunidad.

La vida de María no fue fácil. Creció en Betania, una aldea pequeña. Como dice el dicho popular, "pueblo chico, infierno grande". María fue una adolescente inquieta, soñadora y rebelde, siempre dispuesta a ir más allá de los límites. Era también sensible, dócil y enamoradiza. Crédula en el amor, se dejó llevar por un personaje siniestro que aparentaba santidad, uno de esos religiosos que, en nombre de la justicia y

Es posible reír otra vez

la santidad, criticaban y condenaban a otros, porque ellos sí sabían de "santidad", pero muy poco de amor y de perdón.

Betania estaba muy cerca de Jerusalén, a unos cuántos kilómetros de la gran ciudad de la paz. Por su cercanía con el Templo, este pueblo era muy religioso, demasiado "santo" para alguien como María. Hay personas como ella que parecen no encajar en un lugar rígido, como el que suele proponer la religión mal interpretada y en algunos casos mal intencionada. Por eso buscan otros caminos, pensando que Dios es como esa religión que les enseñaron.

Probablemente María, como muchos otros, pensó así, y al no encajar en ese ambiente de rigidez quiso buscar un poco de diversión peligrosa, "una aventura". Como era mujer sensible, terminó involucrándose con un tal Simón, un siniestro personaje que la introdujo en el mundo de la promiscuidad y la sumergió en un pantano de lascivia. Ahí quedó atrapada. Quiso alejarse de aquellos sentimientos y deseos perversos, pero lo que comenzó como un juego se había transformado en una realidad opresora que condicionaba su presente e hipotecaba su futuro.

¿A quién pedir ayuda? El Dios de la religión que ella conocía solo condenaba a la gente y la apartaba de toda oportunidad de rescate. Ese Dios no era para ella más que un Ser Superior con sentimientos y reacciones humanas, como las suyas, un Dios con estima propia que condena a los que no hacen lo que él quiere, y se enoja al punto de castigar a los penitentes con horrendas enfermedades: lepra, ceguera, parálisis. Ese Dios no podía ayudarla. *Pero, ¡debe existir otra fuerza —* pensaba ella— *con suficiente poder para liberarme de estos sentimientos opresores!* Entonces decidió buscar ayuda en lo prohibido y oculto, en la brujería. Su situación empeoró. Le abrió la puerta a un espíritu demoníaco que ahora la controlaba. Su situación era ahora peor que antes, y se tornó insensible; ya no le importaba nada.

Cuando los rumores cubrieron la aldea, María se convirtió en una marginada que debía vivir en las sombras, pues si alguien la veía durante el día la señalaría y la condenaría. *Ahí va María.* Las madres cubrían los ojos de sus hijos porque creían que el solo acto de mirarla era pecaminoso. Las esposas amenazaban a sus maridos: "¡No quiero saber que hables con esa mujer! ¡Espero no verte nunca cerca de ella!". En la poca

Todo es posible

conciencia que le quedaba, María no podía lidiar con la condenación que sufría aun de parte de su familia.

Por eso decidió irse. Le dolía el alma, y sufría en silencio, en soledad. Sentía que era poca cosa; su caso no tenía remedio. No encontraba dónde buscar solución a su desgracia. Ayer fue María, la niña inocente; ahora era la pecadora, poseída por demonios lujuriosos y lascivos. Debía enfrentar sola su destino. Se sentía fallecer. La culpa la llevaba a pensar que si iba a morir, sería lejos de su familia, y de todos los que se decían amigos y solo fueron compañeros o cómplices de aventuras. Se fue a Magdala, ciudad de pecadores.

En Magdala, María no tenía trabajo, no sabía hacer muchas cosas, y no podía controlar los sentimientos y deseos que parecían dominarla como demonios ciegos y enfurecidos. Necesitaba recursos para vivir, y no se le ocurrió una mejor idea que hacer de su problema una solución: dedicarse a intercambiar placer por dinero. Así calmaba sus deseos y se castigaba a sí misma por ser como era. Terminó habituada a la miseria, como si esa fuera su única alternativa.

Un día pasó lo inesperado. Ella no lo planeó, otros sí. Recibió un mensaje de Simón, el seductor de Betania: la invitaba a revivir los viejos tiempos. Como para muchos el pasado es mejor que el presente, la nostalgia la embargó y aceptó verse con él.

María llegó al lugar acordado y revivieron el fuego de la pasión que alguna vez casi los incinerara, aunque solo ella quedara marcada con indeleble estigma. Y cuando esa llama volvió a encenderse y se entregó en cuerpo y alma, sucedió lo inesperado. Alguien entró. Ahora sentía que eran varios. Hubo gritos, manos acusadoras, insultos solo contra ella, epítetos infamantes. A María nada la podía lastimar; ella misma solía llamarse así cuando la invadía la nostalgia y los recuerdos golpeaban sus sentimientos más profundos. Se reprochaba el haberse dejado llevar por las promesas de libertad que su corazón le vendió, y muchos, a su lado, la endeudaron ayudándole a comprar esos sueños utópicos de adolescente.

Las acusaciones no la irritaban. Pero la traición la enfureció. Volvió a confiar en el mismo que la había decepcionado. Alguien la tomó del brazo; ni siquiera dejó que se vistiera, y la arrastró por las calles. Ella

Es posible reír otra vez

no atinaba a entender lo que sucedía. ¿Quiénes eran? ¿A dónde la llevabann? ¿Quién los llamó? Si la insultaban y la acusaban de adulterio solo a ella, y a él no, era porque él era su cómplice. Pero, ¿por qué? ¿Qué pretendían?

Después de barrer el suelo de las calles con su cuerpo semidesnudo, llegaron al Templo. Allí estaba el joven Maestro, enseñando. Para los religiosos rígidos, sus historias eran solo palabras que el viento se llevaba. Para los que querían creer, sus palabras inspiraban, desnudaban, cortaban y limpiaban a la vez; "más cortante que toda espada de dos filos; [que] penetra hasta partir el alma y el espíritu, las coyunturas y los tuétanos, y discierne los pensamientos y las intenciones del corazón" (Hebreos 4:12).

¡No! ¡No eran simples historias! El Maestro hablaba "palabras de vida eterna", pero esos religiosos no lo entendían. Sus palabras los irritaban y estaban dispuestos a hacer cualquier cosa para que este humilde Maestro perdiera influencia sobre la gente que lo seguía. Por eso lo interrumpieron para formularle una pregunta que debía descalificarlo ante su auditorio:

—Hemos encontrado a esta mujer en el acto mismo de adulterio —dijeron con fingida piedad—, y en la Ley Moisés nos manda a apedrear a tales mujeres. Pero tú, ¿qué dices? —Como insinuando que él tuviera un mensaje diferente al de Moisés. No sabían que fue él quien le dictó la ley a Moisés (ver Éxodo 20:1).

El Maestro respondió solo con el fin de hacerlos reaccionar, porque, aunque anhelaba salvar a esa joven, también quería salvarlos a ellos de la ignorancia y la falsa religiosidad que había hecho de ellos estatuas vivientes.

Jesús no se quedó de brazos cruzados. Se inclinó a escribir en tierra, los acusadores leyeron, y entonces se sintieron acusados. ¿Habrá escrito otra vez, como en el Sinaí, la ley eterna del reino? (ver Éxodo 31:18; Deuteronomio 9:10). Si ellos veían sus pecados reflejados allí, ¿no sería eso lo que leyeron? Pues, la ley revela el pecado. En definitiva, lo que haya escrito el Maestro hizo que ellos desistieran de sus recriminaciones, y uno a uno se retiraron.

Esos delatores llevaron a la mujer a Jesús para destruirla, sin saber que el lugar era incorrecto; y no porque estaban en los atrios del Templo, sino porque pretendieron ejecutarla arrojándola a los pies de Jesús. ¡Qué ilusos! No sabían que a los pies de Jesús los seres humanos encuentran liberación, salvación y sanidad total. A los pies del Salvador comienza la vida verdadera, la vida eterna. Por eso, después de esa experiencia, María Magdalena se sentó siempre que pudo a los pies de su Salvador.

Noemí

—Pastor, ¿Jesús puede perdonar cualquier pecado? —me preguntó una dama en la sala de su hogar. Yo me estaba quedando en su casa durante esa semana mientras predicaba por las noches en la iglesia a la que ella asistía con su esposo y su hijito. Hice un llamado esa noche, y me sorprendió verla de rodillas allá adelante, llorando. Yo había hablado de María de Magdala y de cómo Jesús es capaz de perdonar el peor de los pecados y transformar al pecador más endurecido. Ahora me encontraba en la sala de la casa de Noemí, escuchando esa pregunta.

—¿Puede Jesús perdonar cualquier pecado?

Me disponía a responder, pero ella se me adelantó y comenzó a contarme su historia:

—Hace mucho tiempo, cuando era apenas una niña de quince años, me enamoré de un hombre que doblaba mi edad. Me entregué a él en alma y cuerpo, pues prometió amarme siempre. Quedé embarazada. Nadie en mi familia se enteró, pero cuando supe del embarazo, me ilusioné aun más, y en esa ilusión me veía unida por el resto de mi vida a ese hombre al que amaba, criando juntos al fruto de nuestro amor.

Corrí a decírselo. Esperaba su abrazo, un beso, su emoción ante la noticia de que iba a ser padre. Pero él dijo que ese niño no era suyo, me trató como una cualquiera, y me echó de su casa. Dijo que así como había estado con él, pude haber estado con cualquier otro hombre. ¿Cómo podía decirme eso, si él había sido mi primer y único amor? ¡No podía creer lo que me estaba sucediendo, pastor! —dijo, angustiada. Y prosiguió—: En un segundo, los castillos que construí en mi corazón se derrumbaron. Él no pensaba en su hijo, ni en mí, que iba a ser mamá siendo apenas una niña.

Es posible reír otra vez

Noemí guardó silencio, y comenzó a llorar. Suspiró y continuó contando:

—¡No sabía qué hacer, pastor! No podía decirle a nadie. Estaba muy asustada, y entré en pánico. ¿Cómo enfrentaría a mi familia, a la iglesia, a la sociedad? Solo le comenté a alguien que me aconsejó de una manera que jamás esperé, sin embargo, su consejo parecía ser el mejor en aquel momento. Junté mis ahorros, conseguí más dinero, y fui a uno de esos lugares donde unos "profesionales" me ayudaron a arrancar de mi vientre a esa criatura indefensa. Desde ese día mi vida nunca fue la misma. Dígame, pastor, ¿Dios puede perdonar a una madre asesina?

Quedé paralizado. Jamás pensé que aquella dama, esposa y madre cristiana, pudiera haber pasado por algo tan terrible. Hubo un momento de silencio, y ella siguió hablando:

—Con la excusa de irme a estudiar, me fui de mi casa. Anduve de ciudad en ciudad, de colegio en colegio, de relación en relación. Así me castigaba, y me recordaba a mí misma: *Es lo único para lo que sirves. ¡Eres una mujerzuela! ¡Una asesina!* Así viví durante varios años, pensando que desde el cielo Dios me miraba y me decía: "¡Asesina! ¡Jamás tendrás una vida normal y feliz!"

Siguió su relato:

—Un día regresé a mi tierra, a casa de mis padres y a la iglesia a la que asistía de pequeña. Volvía solo de vacaciones. Fue aquí, en mi tierra, en Puerto Rico, donde conocí al hombre que me ayudó a cambiar. Aunque yo asistía a la iglesia, no creía que Dios me diera la oportunidad de ser feliz y cumplir el sueño de tener una familia. Pensaba que no lo merecía, que Dios jamás lo permitiría. Entonces conocí al hombre que hoy es mi esposo. Nos enamoramos, nos casamos, y como ya éramos adultos, queríamos tener hijos pronto. Intentamos, pero yo no quedaba embarazada. Sentía que Dios me decía: "Jamás volverás a ser madre, ¡pecadora! ¡Asesina! ¿Cómo quieres tener un hijo ahora, si cuando te lo di acabaste con su existencia?"

El tiempo pasaba, y el hijo tan esperado no venía. Una noche, cansada de tantos intentos vanos, le conté a mi esposo toda mi historia. Esa noche fue crucial. Yo esperaba que al enterarse de mi oscuro pasado, él me dejaría. Estaba dispuesta a perderlo todo. Pero él me sorprendió, me mostró su amor de manera asombrosa. Me escuchó, me entendió, me aceptó y me amó como nunca me habían amado. Me dijo que mi pasado no le importaba, que quería ayudarme a sanar, que me perdonaba, y me hizo entender que Dios me perdonaba también.

Esa noche nos amamos, y como fruto de ese amor, quedé embarazada. Empecé a creer que ya todo estaba superado. Fueron nueve meses de dulce espera. Soñaba con ese pequeño que vendría. Anhelaba ver su pequeño rostro. Sus manitas. Quería amarlo y hacerlo feliz.

Finalmente, el pequeño nació, pero a los pocos días descubrimos que tenía un pequeño defecto cardíaco. Pensamos que no sería nada serio, pero la pequeña dolencia se convirtió en una enfermedad de cuidado. Allí volvieron mis fantasmas. ¡Fue horrible! Volví a sentir que Dios me decía: "Te di este pequeño para que lo disfrutes un corto tiempo, y así veas lo que te perdiste, ¡pecadora! ¡Mala madre! ¡Asesina! ¡No mereces tener un hijo! ¡Pronto te lo quitaré!"

Así he vivido estos últimos años desde que el niño nació. Asustada, esperando que en cualquier momento Dios me lo quite, porque es verdad, no lo merezco. Hoy escuché su mensaje. Usted dijo que Dios puede perdonar cualquier pecado, y que cuando él perdona, restaura, sana y olvida. Dígame, pastor, ¿podrá el Señor perdonar a una madre asesina como yo?

Fue un momento difícil para mí. Tenía delante de mí a una mujer agobiada por un pasado que la perseguía sin tregua ni cuartel. ¿Qué decirle? Oré a Dios pidiendo sabiduría. Entonces le dije:

—Mi hermana, no solo estoy seguro de que Dios ya la perdonó, sino también que su perdón sanador está trabajando en usted. Muy pronto, cuando el Señor Jesús regrese, y sus ángeles nos lleven ante su presencia en las nubes de los cielos, un ángel volará hacia usted con presteza, trayendo en sus brazos a un bebé. ¡Sí! Porque cuando hubo vida en su vientre, hubo vida para Dios. Él le devolverá su bebé que no llegó a nacer aquí, pero que sí vivió para Dios. Ese bebé será el símbolo del amor transformador de Dios para su vida.

Ella se emocionó hasta las lágrimas. Nos arrodillamos y su esposo se unió con nosotros en una oración de consagración y sanidad interior. Dos días después, acompañé a esa pareja a la consulta médica del

Es posible reír otra vez

pequeño. Mientras esperábamos, pedí al Señor que una vez más le manifestara su poder a esa hermosa pareja. De repente la puerta del consultorio se abrió, y esa mujer salió saltando y gritando:

—¡Pastor, Jesús me perdonó! ¡Jesús me perdonó!

En la sala había otras personas esperando turno. Miraban la escena y no entendían por qué ella decía eso. Yo sí. El médico acababa de informarles que el pequeño estaba sano, aunque él tampoco entendía lo que estaba pasando. No podía explicarlo con base científica, pero el niño había sanado. Dios había realizado un milagro de amor.

Han pasado más de veinte años, y los protagonistas de esta historia están sanos y felices. Los hechos ocurrieron en el barrio "La Victoria". El esposo, el iniciador de la sanidad y el medio para transmitir el perdón que Dios le otorgó a esta mujer, se llama Salvador de Jesús. El nombre del niño es Natanael, "regalo de Dios". Ellos eligieron ese nombre sin saber su significado. Y esta mujer se llama Noemí, que significa "gozo y alegría".

Es interesante ver cómo, mediante estos nombres, al igual que en las historias bíblicas, se presenta un mensaje de amor de parte del soberano Dios. Él nos da "la victoria" por medio del Salvador Jesús, llenándonos de su "gozo y alegría" por los múltiples "regalos" que recibimos de su providencia; sobre todo, el perdón y la salvación en Cristo.

No leí esta historia en un libro. Parte de ella la viví junto a los protagonistas, y una vez más pude ser testigo de la poderosa mano de Dios. Aprendí que no hay casualidades, sino causalidades: movimientos gestados por la mano del Todopoderoso. Y vuelvo a confirmar que con Jesús, **¡todo es posible si uno decide creer!**

¿Creerás tú?

Para reflexionar

1. ¿Cómo describe el autor a María?

2. ¿Qué piensa el autor que escribió el Maestro en la tierra?

3. ¿Qué significan los nombres de los protagonistas del testimonio final?

Capítulo 7

Es posible vivir eternamente

Estaba entonces enfermo uno llamado Lázaro, de Betania, la aldea de María y de Marta su hermana... Enviaron, pues, las hermanas para decir a Jesús: Señor, he aquí el que amas está enfermo. Oyéndolo Jesús, dijo: Esta enfermedad no es para muerte, sino para la gloria de Dios, para que el Hijo de Dios sea glorificado por ella... Entonces Jesús les dijo claramente: Lázaro ha muerto; y me alegro por vosotros, de no haber estado allí, para que creáis; mas vamos a él... Vino, pues, Jesús, y halló que hacía ya cuatro días que Lázaro estaba en el sepulcro... Y Marta dijo a Jesús: Señor, si hubieses estado aquí, mi hermano no habría muerto. Mas también sé ahora que todo lo que pidas a Dios, Dios te lo dará. Jesús le dijo: Tu hermano resucitará. Marta le dijo: Yo sé que resucitará en la resurrección, en el día postrero. Le dijo Jesús: Yo soy la resurrección y la vida; el que cree en mí, aunque esté muerto, vivirá. Y todo aquel que vive y cree en mí, no morirá eternamente. ¿Crees esto?... Y algunos de ellos dijeron: ¿No podía este, que abrió los ojos al ciego, haber hecho también que Lázaro no muriera? Jesús, profundamente conmovido otra vez, vino al sepulcro. Era una cueva, y tenía una piedra puesta encima. Dijo Jesús: Quitad la piedra. Marta, la hermana del que había muerto, le dijo: Señor, hiede ya, porque es de cuatro días. Jesús le dijo: ¿No te he dicho que si crees, verás la gloria de Dios? Entonces quitaron la piedra de donde había sido puesto el muerto. Y Jesús, alzando los ojos a lo

Es posible vivir eternamente

*alto, dijo: Padre, gracias te doy por haberme oído. Yo sabía que
siempre me oyes; pero lo dije por causa de la multitud que está
alrededor, para que crean que tú me has enviado. Y habiendo
dicho esto, clamó a gran voz: ¡Lázaro, ven fuera! Y el que había
muerto salió, atadas las manos y los pies con vendas, y el rostro
envuelto en un sudario. Jesús les dijo: Desatadle, y dejadle ir.
Entonces muchos de los judíos que habían venido para
acompañar a María, y vieron lo que hizo Jesús, creyeron en él.*
San Juan 11:1-45.

E ra una mañana fría de invierno. Había concluido el culto principal del sábado en la iglesia hispana de Beaverton, y Javier Bo-
nilla se había quedado fuera del templo esperando que alguien lo
invitara a comer, pues no tenía adónde ir. De pronto vio un muchacho que venía hacia él. Su aspecto causaba temor, pues tenía tatuajes
y vestía un abrigo largo y gorra de "cholo". El extraño le preguntó:

—Oye, amigo, ¿es aquí donde ofrecen las clases de Alcohólicos
Anónimos?

—Sí, es aquí, —contestó Javier— pero se reúnen los martes a las
siete de la noche. El joven le agradeció, y cuando se estaba yendo,
Javier lo detuvo para decirle:

—¡Hey, amigo! Esta noche comenzamos un programa parecido
al de Alcohólicos Anónimos, con la diferencia de que no ofrecemos
café, y cuando compartimos testimonios no usamos palabras obsce-
nas. Es una reunión más familiar, donde puedes traer a tu esposa e
hijos, si lo deseas. El joven se interesó mucho en la información que
Javier le había dado y prometió asistir. Javier lo estaba invitando, sin
decírselo, a una campaña evangelizadora que se iniciaba esa noche.

El programa comenzó a las 7:30 pm. Javier llegó y se sentó en la
última banca. El predicador comenzó su mensaje, pero antes de terminar dijo: "Vamos a invitar a Francisco Farías, quien nos visita por
primera vez, a que pase aquí adelante. Necesita nuestras oraciones.
Javier no lo podía creer. Su invitado había venido a escuchar el mensaje del Señor. Con emoción se acercó al joven para abrazarlo y orar

Todo es posible

por él. Prometió traerlo cada noche de reunión. Fue así como entablaron una linda amistad. Francisco continuó asistiendo a los servicios religiosos de la iglesia y a las clases de Alcohólicos Anónimos.

Este joven estaba atravesando graves problemas. La Justicia lo acusaba por un intento de asesinato, tenía problemas con su esposa por infidelidad y las autoridades le habían quitado a sus hijos. Ahora acababa de salir de la cárcel, pero a su vez arrastraba graves acusaciones de la Corte. Aunque no conocía nada de Dios, Francisco comenzó a creer y su fe se fortaleció. Uno de esos sábados en la iglesia, preguntó:

—Oye, Javier, ¿qué debo hacer para parecerme más a ustedes y ser parte de tu iglesia?

Javier le contestó:

—Solo aceptar a Cristo como tu Salvador personal, y él restaurará tu vida.

Francisco no lo dudó más: —¡Yo quiero aceptarlo! —dijo. Y fue así como tuve la oportunidad de bautizarlo.

Pronto comenzó a vestirse diferente. Era muy servicial y siempre estaba dispuesto a ayudar a la gente. Pero sus problemas pendientes con la Justicia lo desanimaban y entristecían a menudo. Su mayor anhelo era recuperar a su esposa y sus hijos, y la incertidumbre de no saber qué pasaría con él lo agobiaba en gran manera. Sin embargo, a pesar de todo lo que estaba afrontando, nunca perdió la fe, y aprovechaba sus citas en el juzgado para testificar de su salvación en Cristo. Se convirtió en un misionero del Señor, simplemente compartiendo lo que Jesús había hecho en su vida.

Su testimonio dio frutos. El juez quitó las restricciones. Ahora Francisco podía ver a sus dos niños. Estaba feliz. Había encontrado en Jesús no solo la salvación, sino la solución a todos sus problemas. Dios había logrado que volviera a reunirse con sus hijos y su esposa.

Pero una noche, en uno de aquellos constantes viajes a la corte judicial de Los Ángeles, perdió la vida en un trágico accidente. Muchos que lo conocieron cuestionaron por qué Dios había permitido eso. Otros preferimos creer que Dios sabía lo que pasaría con él, dándole la oportunidad de encontrar salvación y quedar sellado para la eternidad. Porque la muerte, para el que cree, se convierte en la caja fuerte de

Es posible vivir eternamente

Dios, donde guarda a sus hijos a salvo hasta la mañana de la resurrección.

En este mundo hay muchas cosas que no entendemos. Quizás algún día encontremos respuestas a esas incógnitas, o tal vez no. Pero es posible que no necesitemos explicarlo todo para vivir felices, sin temor al futuro, confiados y en paz.

Sin lugar a dudas, de todas las situaciones que suelen confundirnos, lastimarnos y hasta destruirnos, la muerte es la peor. Esta enemiga de la humanidad es tan poderosa que siempre nos resultará ajena y repugnante. Los psicólogos dicen que cualquier pérdida que tengamos en la vida nos hace tambalear y la muerte es una de las peores. La muerte es una enemiga temible, pero ya la hemos aceptado como algo natural, e incluso, cuando alguien muere, decimos que "murió de causas naturales".

Sin embargo, desde la perspectiva bíblica, la muerte no es algo natural. Nunca fue el plan de Dios que esa intrusa formara parte de nuestra experiencia. Él nos creó con la capacidad de vivir para siempre, pero esa eternidad estaba condicionada a mantenernos unidos a él en obediencia perfecta. Esa obediencia era posible para los seres humanos creados por Dios, pues él los había dotado de ciertas características que nos hacían semejantes a él. Así como Dios es santo, justo, bueno y perfecto, el ser humano antes del pecado era también justo y bueno. Fuimos creados a imagen y semejanza del Creador. Llevábamos la imagen moral de Dios. Nuestra naturaleza estaba en perfecta armonía con él y con su santa ley, que es el reflejo de su carácter de amor.

Pero cuando la humanidad comió el fruto del árbol prohibido, se afectó toda la dinámica de este mundo, incluyendo nuestra naturaleza humana. Todo quedó trastornado por separarnos de Dios, y como resultado de esa separación vino la muerte.

Hoy en día estamos tan acostumbrados a la muerte y a vivir en el pecado que nos parece normal. Pero aunque nos hayamos familiarizado con la muerte, nos resistimos a ella. Nunca terminamos de aprender a lidiar con la muerte. Inventamos términos para acotar el dolor inmenso que sentimos ante la pérdida de un cónyuge o de un padre. Llamamos "viudos o viudas" a quienes pierden a sus cónyuges,

Todo es posible

llamamos "huérfanos" a quienes pierden a sus padres, pero no hay nombre para denominar a quienes pierden a sus hijos. Solo son deudos. Todos somos deudos. Las palabras son cicatrices que siempre nos recordarán lo que perdimos.

Todos hemos perdido un ser querido por medio de esa intrusa arrebatadora. La impotencia, el dolor, la desesperación y las lágrimas suelen ahogar nuestra alma, hasta casi sentir el desgarro del desarraigo. No encontramos consuelo con facilidad. Pero la Biblia nos ofrece una esperanza basada en la experiencia que viviera el propio Hijo de Dios, nuestro Maestro galileo, quien experimentó la muerte y triunfó sobre ella trayendo a la luz la inmortalidad.

Por eso, para los cristianos la muerte ya no es un problema sin solución. Es un trago amargo, sí, pero posible de digerir. Hay lágrimas, sí, pero lloramos con esperanza. La cicatriz en el corazón no solo nos habla del dolor de la pérdida, sino también de la esperanza en aquel día glorioso cuando volvamos a reencontrarnos con nuestros seres amados que la muerte nos arrebató.

Los cristianos sabemos bien lo que dijo el sabio Salomón: "Los que viven saben que han de morir" (Eclesiastés 9:5). Pero también entendemos lo que expresó el apóstol Juan cuando apuntó las palabras de Jesús: "El que oye mi palabra, y cree... ha pasado de muerte a vida" (S. Juan 5:24). La Biblia nos anuncia buenas nuevas de salvación: Jesús venció la muerte. Por eso, los que creen en Jesús no mueren, solo descansan hasta el día que él regrese y los despierte, como hizo en aquella ocasión con su amigo Lázaro (ver S. Juan 11).

Lázaro era hermano de María y Marta. Su casa era un lugar de refugio y solaz para el Maestro galileo. Él frecuentaba ese hogar asiduamente. Esa familia lo amaba y él los amaba también. Por eso, cuando Lázaro enfermó, enviaron mensajeros al Maestro para hacerle saber que se lo necesitaba con urgencia. Si Jesús sanaba a tantos, ¿cómo no sanaría a su amigo, al que amaba con el alma?

Así pensaban muchos. A veces, en la lógica humana, pretendemos encajonar a Dios. Pero él no piensa como nosotros, ni mira las cosas con nuestra visión, que suele ser corta y mezquina. Dijo: "Mis pensamientos no son vuestros pensamientos, ni vuestros caminos mis caminos, dijo Jehová. Como son más altos los cielos que la tierra, así son mis caminos más altos que vuestros caminos, y mis pensamientos más que vuestros pensamientos" (Isaías 55:8-9). La mayoría de las veces, él actúa diferente de lo que nosotros creemos que debe actuar. Pero no improvisa; sabe bien lo que hace. Todo el tiempo tiene un plan, y su plan siempre es lo mejor para nosotros.

Cuando recibió la noticia de la muerte de Lázaro, Jesús mandó a decirle a la familia que no se preocuparan, que todo estaba bajo control. Que esa "enfermedad no es para muerte, sino para la gloria de Dios, para que el Hijo de Dios sea glorificado por ella" (S. Juan 11:4). Lázaro y su familia confiaron en sus palabras, pero Lázaro murió. ¿Qué pasó? ¿Falló el diagnóstico de Jesús? ¿Envió un mensaje de aliento a la familia solo para dejarlos contentos, porque en realidad no podía hacer nada por el enfermo? O peor aún, ¿por qué sanaba a otros y a su amigo no? ¿Lo amaba realmente? ¿Será que calculó mal el tiempo y cuando llegó ya era muy tarde?

¡Cuántas preguntas surgen en una situación como esta! ¡Cuántos interrogantes, pero pocas respuestas! ¿No será que lo mejor en momentos así, más que buscar respuestas, sea considerarlo una oportunidad para confiar, acrecentar la fe y prepararse para ver grandes cosas? ¿Qué tal si Jesús tiene razón, y esa "enfermedad no es para muerte, sino para la gloria de Dios, para que el Hijo de Dios sea glorificado por ella"?

Algunos decidieron creer, aunque no entendían nada de lo que estaba pasando. Marta expresó su dolor: "Señor, si hubieses estado aquí, mi hermano no habría muerto". Y también su fe: "Mas también sé ahora que todo lo que pidas a Dios, Dios te lo dará" (vers. 21, 22). En otras palabras: No entiendo por qué no estuviste aquí para evitar esta tragedia, pero sé que tú sabes por qué. Lo sé, porque tú mueves el trono de Dios. Tengo la certeza y la convicción de eso, aunque no lo vea.

Honrando la fe de Marta, Jesús dijo: "Tu hermano resucitará" (vers. 23). Ella no quería mal interpretar a Jesús, y dijo lo que cualquier religioso diría para no quedar mal: "Yo sé que resucitará en la resurrección, en el día postrero" (vers. 24). En otras palabras: Conozco la doctrina, sé de la resurrección de los muertos y el día del juicio final.

Jesús debió responder sin vueltas. Él sabía bien que nosotros somos capaces de pasar del cielo al infierno en un segundo. Sabía también que nuestra fe es tan frágil como una telaraña; creemos y dudamos al mismo tiempo. Por eso respondió rápidamente: "Yo soy la resurrección y la vida; el que cree en mí, aunque esté muerto, vivirá. Y todo aquel que vive y cree en mí, no morirá eternamente. ¿Crees esto?" (vers. 25, 26). Como si le dijera: Marta, venías bien, ¿por qué dudas tan rápido? Me conoces, sabes que "yo soy la resurrección y la vida". Sabes que sin mí no hay vida verdadera, porque todos llevan la muerte por dentro"; mas el que decida creer alcanzará lo imposible: "vivir eternamente".

Marta se aferró a esas palabras. Por eso llevó al Maestro hasta el sepulcro. Al llegar allí, Jesús les dijo:

—Quitad la piedra. —Y otra vez la duda asaltó el corazón de Marta cuando dijo:

—Señor, hiede ya, porque es de cuatro días (vers. 39).

El Maestro insistió:

—"¿No te he dicho que, si crees, verás la gloria de Dios?" (vers. 40). Vamos Marta, ya no dudes más, cree solamente, porque el secreto para alcanzar lo inalcanzable es creer.

Para completar su enseñanza concerniente al hecho de que él tiene todo bajo control, aunque nosotros no lo podamos ver, entonces realizó uno de los milagros más extraordinarios de todos los tiempos. Resucitó a uno que llevaba cuatro días en la tumba. Solo levantó su voz y declaró: "¡Lázaro, ven fuera!" Y el milagro se realizó ante la vista de muchos, que por el prodigio alcanzaron la salvación (vers. 43-45).

Si Jesús hubiese llegado cuando lo llamaron, Lázaro no habría muerto, la familia hubiese disfrutado un milagro de sanidad, y algunos más también se habrían beneficiado de la acción de Dios. Pero como Jesús hace las cosas mucho mejor que cualquiera de nosotros, prefirió un milagro de resurrección a uno de sanidad. De ese modo, la familia fue bendecida en mayor proporción, y muchas otras personas fueron alcanzadas por el amor y el poder de un Dios que sabe bien lo que hace.

Es posible vivir eternamente

***

Era pastor asociado en la ciudad de San Germán, Puerto Rico. Habíamos decidido celebrar una campaña evangelizadora que duraría tres meses. Iniciando las primeras dos semanas en carpa, la obrera bíblica, Enid Figueroa, me presentó a su amiga de la infancia, Ivelisse. La saludé amablemente y la animé a continuar asistiendo. Cada noche de reunión Ivelisse escuchaba la Palabra, abriendo su corazón por primera vez y sintiendo con fuerza el llamado de Dios para su vida. Así continuó durante toda la campaña.

Llegó la última semana de aquel programa. Nos acercábamos al gran bautismo, y la joven reafirmaba día tras día su decisión. Me decía:

—Pastor, aquí estoy, lista para entregar mi vida a Jesucristo.

Llegó el viernes, previo al sábado del bautismo, y no la vi en la iglesia. Me acerqué a la obrera bíblica para preguntarle si sabía algo de ella. Me dijo:

—Hoy a las 3 de la tarde la llamó por teléfono un hombre.

Era el amor de su vida, y salió corriendo detrás de él. Pero cuando él supo que ella estaba estudiando la Biblia, le dijo:

—Elige: Cristo o yo —y ella prefirió el amor de un mero mortal antes que el amor eterno de Dios.

Meses después, recibí una llamada de Enid. Ivelisse había tenido un accidente. Se había quedado dormida y chocó un camión que estaba parado. A raíz del incidente los médicos ordenaron unos análisis, y revelaron que estaba drogada. Ante este dato decidieron hacerle otros exámenes y descubrieron que era portadora del VIH. Un análisis más profundo reveló que ya era paciente del síndrome de inmunodeficiencia adquirida. En otras palabras, el sida ya estaba en pleno desarrollo.

Entonces, Enid me dijo:

—Pastor Julio, Ivelisse está en su casa. Le dieron de alta hace unas semanas, pero aquel hombre la dejó y ella no quiere seguir viviendo. ¡Por favor, vamos a verla!

Ante tal pedido dejamos de lado lo que estábamos haciendo y fuimos a visitarla. Ivelisse estaba entregada al abandono total. Estuvimos con ella un largo tiempo, tratando de hacerla entrar en razón,

Todo es posible

intentando convencerla de que a pesar de todo, valía la pena vivir. Le dimos ciertas recomendaciones de alimentos que podían ayudarle a levantar las defensas del cuerpo. Finalmente decidió volver a estudiar la Biblia con nosotros, y empezó a recuperarse lentamente.

Sus padres tenían un negocio de comida en la ciudad costera de Cabo Rojo, frente a la playa de Joyuda. Allí estudiábamos la Biblia, y mientras miraba aquella playa hermosa, con la quietud del mar y sus aguas transparentes, yo le decía:

—Ivelisse, acá en esta piscina natural te voy a bautizar.

Y ella contestaba:

—¡Sí, pastor! ¡Esta vez no me voy a escapar! Aquí estoy decidiendo por Cristo.

¡Era la segunda vez que Dios la llamaba!

Pusimos la fecha de bautismo. El gran día llegó, pero Ivelisse había desaparecido. Fue contactada por aquel hombre, y una vez más lo prefirió a él antes que a Jesús. Debo confesar que aquello me entristeció mucho.

El tiempo transcurrió, y muchas cosas cambiaron en mi vida. Me casé y mi función en el ministerio era un tanto diferente. Ya no tenía una iglesia a cargo, sino la responsabilidad de ofrecer conferencias evangelizadoras en todo el oeste de Puerto Rico. Tenía mucho trabajo.

Una noche llegué a casa con mi esposa y encontramos en la máquina de mensajes uno de nuestra amiga Enid, que nos decía:

—Julio y Lourdes, Ivelisse está muy grave. Se está muriendo, y quiere verlos.

Fuimos al encuentro de aquella muchacha, y cuando llegamos a la casa de sus padres la encontramos sentada en un sillón individual. Cuando nos vio, quiso ponerse de pie, pero a duras penas pudo levantarse, cayendo desplomada en el sillón. No tenía fuerzas. Entre la hermana de Enid, Madeline, y la hermana de Ivelisse, la levantaron y la sostuvieron para que pudiese estar de pie cuando la saludáramos. Al acercarnos se echó sobre nosotros, y entre sollozos me decía:

—Pastor, ¡perdóname!

Yo le dije:

—Ivelisse, yo no tengo nada que perdonar.

Es posible vivir eternamente

—Sí, pastor, porque tú muchas veces me buscaste, me llamaste, y yo te fallé.

Entonces la miré y le dije:

—Ivelisse, ¿no te diste cuenta? No era un hombre quien te llamaba. No era una iglesia quien te buscaba. ¡Era Dios! Pero tengo buenas noticias para ti hoy: ¡Todavía el Señor te está esperando con los brazos abiertos! ¡Todavía hay esperanza para ti! Yo no creo en las casualidades, porque entiendo que detrás de todo hay un Dios que está moviendo las cosas para el bienestar de sus hijos. Mi próxima campaña comienza este viernes en la iglesia de Cabo Rojo, cerca de tu casa. ¿Te das cuenta, Ivelisse? Dios organizó la campaña para ti. Así que, yo no sé cómo, pero este viernes te espero en la iglesia.

Ella me miró con tristeza y me dijo:

—Pastor, ¡no puedo ni caminar!

—Ese no es tu problema —le dije—. Deja eso al Señor. De eso se encarga él —Oramos aquella tarde y nos fuimos.

El viernes comencé la campaña en Cabo Rojo, y cuando llegué a la iglesia, la primera persona que me encontré, sentada en el último asiento, era Ivelisse. ¿Cómo llegó hasta ahí? Madeline consiguió una silla de ruedas, buscó a Ivelisse y la llevó a la iglesia.

Aquella muchacha me recordaba la ocasión cuando el Señor llamó al joven Samuel. Tres veces lo llamó y el joven no comprendió. Igualmente ocurrió con esta joven: Dios la llamó tres veces y ella no se dio cuenta.

Esa noche me invadió la frustración y sentía mucha lástima por aquella muchacha. Al mismo tiempo, pensaba: *¡Cuánta paciencia tiene Dios al llamar, llamar y llamar a los seres humanos, mientras estos prefieren mantenerse lejos de él!* Me preguntaba: *¿Cuánto tiempo más seguirá llamando el Señor?*

En la historia bíblica de Samuel hubo una cuarta vez. Así lo relata el profeta: "Y vino Jehová y se paró, y llamó como las otras veces: ¡Samuel, Samuel! Entonces Samuel dijo: Habla, porque tu siervo oye" (1 Samuel 3:10). Después de tres llamados sin entender por qué, la cuarta vez el joven Samuel entendió y entregó su vida al Señor. ¿Pasaría lo mismo con esta joven?

Todo es posible

Ese mismo viernes de noche, Madeleine me estaba esperando para invitarme a ver a un muchacho que asistía a la iglesia en su adolescencia, pero que en ese momento estaba involucrado en vicios. Yo estaba muy cansado, pero, ¿cómo decirle que no a una mujer que había hecho tanto por otros? Así que terminé de predicar, saludé a la gente y nos fuimos a visitar a ese joven, que definitivamente no esperaba vernos. Solo quería salir y disfrutar de su "viernes social". No le importaba nada más, y lo demostraba con un simple ademán del pie en señal de ansiedad y descontento. No tenía sentido que nos quedáramos allí, así que nos despedimos y oramos, pero el chico ni siquiera oró con nosotros.

Fui el último en abandonar el lugar, y mientras me acercaba a la puerta principal, iba diciéndole al Señor:

—¿Para qué me trajiste hasta acá, si tú sabías que iba a ser así? ¡Podías haberlo evitado!

De pronto sentí algo que nunca más volví a sentir. Esa impresión me hizo dar vuelta para buscar a este muchacho, que estaba de espaldas cuando toqué su hombro. Parece que sintió el peso de mi mano, porque se puso nervioso y se cuadró con sus dos puños.

—¿Qué pasó? —me dijo, en actitud defensiva.

Yo le contesté:

—¡Tranquilo, hermano! —Le extendí mi mano, y mirándole a los ojos le dije:

— Alejandro, ¡yo solo quiero ser tu amigo!

El muchacho me dio la mano, y cuando conectaron nuestras miradas, insistí:

—¡Déjame ser tu amigo! —Vi que sus ojos se llenaron de lágrimas, y entonces me animé a preguntarle—: ¿Quieres ser mi amigo?

—Bueno, yo necesito buenos amigos —me dijo.

Entonces agregué las palabras:

—Mis amigos van a verme. ¡Te espero el lunes por la noche en la iglesia!

Cuando llegué a la iglesia el lunes, grande fue mi sorpresa, porque la primera persona que encontré en el último banco era Ivelisse. Al lado de ella, Alejandro, y al lado de este, otro joven con quien se conocían del mundo oscuro de los vicios. Ahora se estaban encontrando todos en la iglesia.

Terminé de predicar y fui a hablar con ellos.

—¿Sabe qué, pastor? —me dijo Ivelisse— Fallé otra vez. Volví con aquel hombre. Pero en un momento pensé: *¿Qué hago aquí? ¡Tengo que buscar al Señor!* Entonces él me repitió su famosa frase: "Elige: ¡Cristo o yo!" Pero esta vez me armé de valor y le respondí: "Contigo, ni a la esquina. Tú no me amas de verdad. ¡Decido por Cristo porque él sí sabe amar!" Y aquí estoy, pastor. ¿Será que Dios me volverá a llamar?

Se estaba repitiendo la historia de Samuel en esta joven. Dios la estaba llamando otra vez.

La noche del jueves, Alejandro llegó por segunda vez, con una cuarta persona. Era más o menos de su tamaño, pero de mayor edad. Se sentaron juntos, pero apartados del resto del grupo. Yo estaba por terminar el llamado de entrega a Cristo, cuando de pronto escuché un grito:

—¡Basta! —Al instante pensé: *¡Uy! ¡Acá me pegan un tiro!* Era Alejandro, que decía "¡basta!" a la lucha que tenía en su interior. Se levantó conmovido y caminó por el pasillo hacia el altar sin saber que la persona que estaba sentada a su lado venía detrás de él.

Ivelisse, quien había sido la primera en responder al llamado, abrazó a Alejandro, quien al darse vuelta se encontró con la persona que lo acompañaba, y ambos se confundieron en un emotivo abrazo. Ivelisse y el otro amigo se unieron en llanto con ellos también. Fue una escena muy conmovedora.

En ese instante dejé el micrófono a un costado y bajé de la plataforma para ir al emotivo encuentro de estos jóvenes. Alejandro no podía dejar de llorar, y me señalaba a la persona que estaba a su lado. Entonces le pregunté:

—¿Quién es él? —y con voz entrecortada me dijo:

—Pastor, ¡es mi papá!, uno de los principales vendedores de drogas de la ciudad. Cuando le dije que iba a entregar mi vida a Cristo, él me dijo que si yo lo hacía, él se entregaría también. Es la segunda vez que viene a la iglesia. ¡Por favor, pastor, ¡acéptelo! ¡No lo abandonen! ¡Denle la oportunidad!

Todo es posible

Fue una gran noche aquella, noche de lágrimas, emociones, y entrega.

Así continuaron sus vidas felices en la iglesia. Pero Ivelisse fue atrapada por esa horrenda enfermedad. Meses después nos avisaron que estaba internada en un hospital del sur de la isla. Con mi esposa fuimos a verla. Estaba demacrada. En ocasiones deliraba, y en momentos de lucidez me pedía que le leyera el salmo 91. A mi esposa le decía:

—¡Cántame, Lourdes, con esa voz tan hermosa que tienes, ese canto que dice: "En presencia estar de Cristo, ver su rostro, ¿qué será?"

Lourdes le cantaba. Mientras lo hacía, en un momento dado se le quebró la voz y comenzó a llorar. Entonces Ivelisse le tomó la mano y le dijo:

—"¡No llores, mamita, no llores! Porque yo sé en Quién he creído. Sé que Cristo pronto vendrá y me levantará".

Nos tomamos una foto con ella, pues sabíamos que sería la última vez que la veríamos. Pero salimos de allí confortados en el Señor. Ivelisse nos había traído consuelo y esperanza aquel día. Dos días después murió.

Oficié su funeral frente a la playa de Joyuda, donde habíamos estudiado la Biblia tantas veces. En un momento dado, su madre se acercó a mí para agradecerme, y me dijo:

—Pastor, quiero que sepa que Ivelisse murió en paz.

—¡Cuénteme hermana, por favor! —le dije.

—Estando con ella en la habitación del hospital, me pidió que leyera el Salmo 91. Mientras leía, ella miraba a través de aquellos grandes ventanales de vidrio. De pronto me dijo: "Mira, mamá, ¿qué es eso que hay en el cielo?" Me di vuelta para mirar, pero no vi nada especial. Cuando la miré para decírselo, Ivelisse ya estaba dormida, con una sonrisa en su rostro y sus ojos abiertos como mirando el firmamento.

¿Sabes lo que yo creo? Que se quedó dormida mirando la venida de Jesús. Mirando al Cristo que la levantó tantas veces, y que cuando regrese por segunda vez, la volverá a levantar y a restaurar. El le dará un cuerpo joven, sin dolor y sin enfermedad, para que viva con él para siempre.

Es posible vivir eternamente

Aquel día será glorioso:

- "Entonces aparecerá la señal del Hijo del Hombre en el cielo; y entonces lamentarán todas las tribus de la tierra, y verán al Hijo del Hombre viniendo sobre las nubes del cielo, con poder y gran gloria. Y enviará sus ángeles con gran voz de trompeta, y juntarán a sus escogidos, de los cuatro vientos, desde un extremo del cielo hasta el otro" (S. Mateo 24:30).

- "Porque he aquí que viene con las nubes, y todo ojo le verá" (Apocalipsis 1:7).

- "Porque si creemos que Jesús murió y resucitó, así también traerá Dios con Jesús a los que durmieron en él. Por lo cual os decimos esto en palabra del Señor: que nosotros que vivimos, que habremos quedado hasta la venida del Señor, no precederemos a los que durmieron. Porque el Señor mismo con voz de mando, con voz de arcángel, y con trompeta de Dios, descenderá del cielo; y los muertos en Cristo resucitarán primero. Luego nosotros los que vivimos, los que hayamos quedado, seremos arrebatados juntamente con ellos en las nubes para recibir al Señor en el aire, y así estaremos siempre con el Señor" (1 Tesalonicenses 4:14-17).

Esta historia no me la contaron. Tampoco la leí en un libro. Yo mismo fui parte de ella, y espero el gran día cuando se termine de contar, cuando el Maestro galileo regrese y nos muestre una vez más que, con él, **¡todo es posible si uno decide creer!**

¿Creerás tú?

Para reflexionar

1. Según los psicólogos, ¿qué cosas nos hacen tambalear en la vida?

2. ¿Cómo describe el autor la muerte?

3. Resuma el milagro final de este capítulo.

Capítulo 8

Es posible ser feliz

Un ángel del Señor habló a Felipe, diciendo: Levántate y ve hacia el sur, por el camino que desciende de Jerusalén a Gaza, el cual es desierto. Entonces él se levantó y fue. Y sucedió que un etíope, eunuco, funcionario de Candace reina de los etíopes, el cual estaba sobre todos sus tesoros, y había venido a Jerusalén para adorar, volvía sentado en su carro, y leyendo al profeta Isaías. Y el Espíritu dijo a Felipe: Acércate y júntate a ese carro. Acudiendo Felipe, le oyó que leía al profeta Isaías, y dijo: Pero ¿entiendes lo que lees? Él dijo: ¿Y cómo podré, si alguno no me enseñare? Y rogó a Felipe que subiese y se sentara con él. El pasaje de la Escritura que leía era este: Como oveja a la muerte fue llevado; y como cordero mudo delante del que lo trasquila, así no abrió su boca. En su humillación no se le hizo justicia; mas su generación, ¿quién la contará? Porque fue quitada de la tierra su vida. Respondiendo el eunuco, dijo a Felipe: Te ruego que me digas: ¿de quién dice el profeta esto; de sí mismo, ¿o de algún otro? Entonces Felipe, abriendo su boca, y comenzando desde esta escritura, le anunció el evangelio de Jesús. Y yendo por el camino, llegaron a cierta agua, y dijo el eunuco: Aquí hay agua; ¿qué impide que yo sea bautizado? Felipe dijo: Si crees de todo corazón, bien puedes. Y respondiendo, dijo: Creo que Jesucristo es el Hijo de Dios. Y mandó parar el carro; y descendieron ambos al agua, Felipe y el eunuco, y le bautizó. Cuando subieron del agua, el Espíritu del Señor arrebató a Felipe; y el eunuco no lo vio más, y siguió gozoso su camino. Hechos 8:26-39.

Es posible ser feliz

C uando era niño, en mi país había un programa infantil de televisión cuyo actor principal era muy popular y querido, tanto por los más pequeños como por los grandes. Yo crecí viendo sus programas. Ese actor es conocido aún hoy, con sus 93 años, como Carlitos Balá. Carlitos iniciaba sus programas con una canción de estribillo fácil y pegadizo, que decía: "Felicidad empieza con fe". ¡Cuánta razón tenía!

Con el correr del tiempo he descubierto lo cierto de esas palabras. Y no solo me refiero al simple hecho de que la palabra felicidad empiece con el monosílabo "fe", sino también a lo que significa ser feliz. Todos anhelamos la felicidad. Es muy importante, y aun esencial, entender esto. Si no vivimos la experiencia de la fe, jamás lograremos ser felices, algo que tanto deseamos.

La fe es la llave que abre las puertas del cielo, de donde provienen las bendiciones del Todopoderoso. La fe es necesaria para que la mano de Dios deposite tesoros incalculables en las manos de los que creen en él. Jesús dijo: "Al que cree todo le es posible" (S. Marcos 9:23); o podemos decir, nada le es imposible. La salvación fue realizada por Dios en nuestro favor mediante Jesucristo, y este regalo de Dios es la gran noticia para nuestra vida. La vida eterna solo puede obtenerse por medio de una experiencia de fe.

No estoy hablando de la fe como un mero asentimiento intelectual, o de una simple confesión, como decir: "¡Sí, yo creo en tal o cual cosa!". No estoy hablando de la fe en términos de una confesión religiosa. Me refiero a una fe viva, una fe que me impulsa a vivir experiencias sobrenaturales, una fe que trae a nuestra vida la vida de Dios. Esa fe que es capaz de mover montañas, derribar muros, tapar bocas de leones, apagar fuegos impetuosos, abrir el mar para que cruce un pueblo. Me refiero a la fe que hace que lo imposible llegue a ser posible.

Pero tengo una mala noticia: De manera natural, tú y yo no tenemos esa fe que tanto necesitamos. Alguien podría decir: "Entonces, todo esto es un lindo cuento de hadas. Si la felicidad viene como resultado de una experiencia de fe, y yo no tengo esa fe, significa que para mí la felicidad es algo inalcanzable, una utopía". Y así es, por-

Todo es posible

que por nuestros propios esfuerzos los seres humanos jamás podríamos llegar a ser felices, puesto que no podemos generar la fe.

Pero también tengo una buena noticia: La fe que trae verdadera felicidad puede comenzar tan solo con una decisión. Dios nos dio la capacidad de escoger y decidir qué es lo que queremos hacer con nuestra vida. "Porque veo al final de mi rudo camino, que yo fui el arquitecto de mi propio destino", dice Amado Nervo, el gran bardo mexicano en su famoso poema, "En paz".

Cuando Dios nos creó, nos dio la capacidad de razonar para poder tomar decisiones; es decir, nos creó con libertad de escoger y decidir lo que queremos hacer con nuestra vida. Aun cuando el pecado arruinó mucho de ese poder, no acabó con él. Por lo tanto, esa fe puede comenzar hoy con una decisión: la decisión de abrir el corazón a Cristo para que él llegue al alma. La decisión de dejarte alcanzar por Dios y depositar la vida en sus manos. La decisión de dejarte caer en sus brazos de amor y entregarte a él, aunque existan cosas que no comprendes. ¿Sabes por qué? Porque cuando te entregas a Dios y abres el corazón, cuando él llega a tu encuentro y vive en ti, ahí comienza la fe. ¡Así de simple!

La fe es un don que viene con Jesús. Él es el autor y a la vez el consumador de esa fe, (ver Hebreos 12:2). Cuando Jesús llega a ser parte de tu vida, la fe lo es también. ¡Tú puedes ser feliz, si así lo decides! Dios te ha dado el poder de escoger y decidir, y el hacer buen uso de ese poder traerá a tu vida la gracia que necesitas.

El pasaje bíblico de Hechos 8:26-39 presenta esta realidad en la experiencia de una persona que, aunque la Biblia no dice su nombre, presenta ciertos elementos importantes que nos ayudarán a comprender mejor este asunto. La Biblia nos dice su procedencia, el lugar que ocupaba en la sociedad, su trasfondo o sus raíces, sus primeros años de vida. Alguien podría pensar: *¿Qué tiene eso de importante?* Los detalles acerca de este hombre nos ayudarán a entender mejor quién era él.

La Biblia dice que este hombre era un eunuco que procedía de la región de Etiopía (vers. 27). Si bien es cierto que la Etiopía de la que nos habla la Biblia no es la misma que encontramos hoy en cualquier mapa, esa región de donde procedía este hombre estaba muy cerca de la Etiopía moderna.

No fue sino hasta cerca de 1798 cuando surgió por primera vez la idea de la posible "no existencia de Dios". Hasta entonces, todos los pueblos de la tierra aceptaban la existencia de alguna deidad o ser superior. Algunos pueblos tenían muchos dioses, a diferencia de Israel, el pueblo de la Biblia, que se mantuvo firme durante la mayor parte de su historia en adorar a un solo Dios. Por eso se dice que el Israel bíblico fue un pueblo monoteísta.

Lo que quiero resaltar es que todos los pueblos del pasado adoraban a uno o más dioses. Así que este hombre etíope también tenía su dios o sus dioses, sus creencias, sus rituales, su templo, su iglesia; en otras palabras, este hombre tenía una religión. Además, la Biblia dice que ocupaba un lugar encumbrado dentro en la sociedad. Era el encargado de manejar los tesoros de la reina Candace, de Etiopía. Tenía, por lo tanto, una posición sumamente importante como administrador de las finanzas del reino. Quien conocía a la reina lo conocía también a él. Por lo tanto, era un hombre famoso, influyente. Como el poder y la influencia suelen entenderse como riqueza, podemos decir que el etíope de esta historia era además muy rico.

Así que estamos hablando de un hombre rico, poderoso, influyente y famoso, que tiene su dios o sus dioses, sus creencias, sus doctrinas, su templo, sus rituales, su religión. Además, conocemos algo de su trasfondo o sus raíces, pues el pasaje dice que era eunuco, concepto que solo se aplica a los varones. El eunuco no podía intimar físicamente con una mujer, porque en algún momento de su vida había sido castrado. El 98 por ciento de los eunucos eran esclavos, propiedad de alguien. El eunuco no se pertenecía a sí mismo, porque su dueño disponía de él a su antojo. Un esclavo no tenía derechos ni podía quejarse con nadie.

Cuando un príncipe, rey o persona acaudalada compraba un esclavo para que se ocupara en atender a las doncellas de la familia, el esclavo estaba condenado a convertirse en eunuco. Debía dar servicio a las damas: vestirlas, desvestirlas, perfumarlas, depilarlas, ponerles ungüentos o cremas para mantenerlas hermosas todo el tiempo. Era una especie de "salón de belleza ambulante". Para evitar que

Todo es posible

surgiera alguna tentación natural al ver a una doncella con poca ropa, se los castraba.

Así que es muy probable que el protagonista de esta historia haya sido un hombre que alguna vez conoció el rigor del látigo. Era un esclavo que de la nada, desde abajo, transformó sus cadenas de esclavitud en eslabones de privilegios, convirtiéndose así en un hombre leal y de confianza para la reina de Etiopía. Aunque no se especifica que haya alcanzado su libertad, la posición que ocupaba y las concesiones de las que disfrutaba lo hacían más libre que a muchos de su nación. Nadie es totalmente libre en este mundo.

Además de ser un hombre rico, famoso e influyente que tenía su religión, también gozaba del aplauso de la gente, porque llegó a ser un prócer viviente de la misma nada. Todos lo admiraban y lo reconocían por ser un hombre de éxito total. Sin embargo, dejó todo lo que tenía en Etiopía porque no era feliz. Llegó a Jerusalén, no a dictar un curso de economía ni a tomar una clase de ciencia política. Tampoco fue parte de un intercambio cultural. La Biblia es clara cuando dice que este hombre llegó a Jerusalén para *adorar* (Hechos 8:27), a buscar al Dios invisible, un Dios que no era el de su pueblo: el único que podía llenar el vacío de su corazón.

Él eunuco estaba resuelto a encontrarse con ese Dios invisible, que hace que el ser humano trascienda más allá de sus límites y lo lleva al terreno de lo inimaginable, impulsándolo a vivir una experiencia sobrenatural. Este hombre quiso encontrarse con ese Dios, pero llegó a Jerusalén en un momento difícil. La ciudad había sido el escenario del sacrificio de Jesús. Ya habían pasado tres años y medio de todo aquello. Los habitantes de Jerusalén habían sido testigos, incluso, de la muerte del primer mártir cristiano, Esteban. Los discípulos de Jesús habían tenido que huir de la ciudad porque nadie quería saber nada de Cristo. ¡Jerusalén ya no tenía nada que ofrecer!

Aquel hombre llegó, y lo único que encontró fue rituales sin vida, expresiones externas de culto que no tenían esencia. ¡Qué triste! Un pueblo que durante más de mil años había esperado la venida del Mesías, y ahora, atados por las cadenas de la religión, se olvidaron de lo fundamental. Interesados en el qué, cómo, cuándo y dónde, se olvida-

Es posible ser feliz

ron del "Quién". Y cuando "el Quién" apareció, no lo reconocieron. Mirando las cosas meramente externas, perdieron la esencia, sin entender que Dios no mira lo que el hombre mira. Él ve lo que está en el corazón, porque es allí donde anhela empezar su obra.

Lo que el ser humano necesita es una transformación que comienza desde adentro, en el corazón. Los brazos de Jesús son el refugio del alma, y la iglesia debería ser el refugio para el doliente, los brazos abiertos de Jesucristo. Pero, ¡qué triste cuando a veces las cosas no son así!

Este hombre llegó a Jerusalén, miró y descubrió que en ninguna de esas cosas estaba la esencia que buscaba. Pero como era un hombre de empuje y de lucha, siguió intentando, y decidió comprar un pedacito de la Biblia, el capítulo 53 del libro de Isaías. Es la misma porción que habla de la pasión de Cristo, de la entrega de un Dios hecho hombre, que vino a morir en manos de los propios que había venido a salvar. ¡Una locura, pero una realidad! ¡O algo tan loco como real!

Este hombre se fue por el sendero vecinal, el viejo camino que descendía de Jerusalén a Gaza. Aunque era una ruta desértica que nadie transitaba, a él no le importaba. Solo quería ganar tiempo para seguir buscando respuestas, porque se resistía a la idea de volver a Etiopía de la misma manera como había llegado. ¡Qué tremenda decisión la de este hombre! Por eso era un hombre de tanto éxito.

¿Sabes cómo se definen los hombres y mujeres de éxito? Son aquellas personas que no dejan pasar las oportunidades que la vida les presenta. Esos son los hombres y las mujeres de éxito: los que aprovechan el momento oportuno. Este hombre quería encontrarse con Dios, por lo tanto, no iba a desaprovechar la fortuna más grande de su vida. No hay tesoro más preciado y más grande que la posibilidad u oportunidad de encontrarnos con el Dios Todopoderoso.

Dios no va a permitir que una persona que tenga ganas de encontrarse con él se conforme con el simple deseo del encuentro. Por eso, él movió a uno de sus seguidores a que fuese en busca de la oveja perdida. Por lo tanto, tengo buenas noticias para ti. Si hoy quieres encontrarte con el Señor, él hará lo que sea necesario para que te encuentres con él. Descenderá a tu lado, usará a algún seguidor suyo, pero el momento anhelado se producirá. ¿Acaso no será este libro el inicio de ese gran encuentro?

El relato bíblico cuenta que Felipe fue en el nombre del Señor y llegó al camino que desciende de Jerusalén a Gaza. De pronto apareció una comitiva, y el Espíritu lo impresionó: "Acércate y júntate a ese carro" (Hechos 8:29). Felipe se acercó al carro tirado por camellos y escuchó a un hombre que estaba leyendo un pedazo del rollo del profeta Isaías. Felipe le preguntó cortésmente:

—Mi amigo, ¿entiendes lo que lees? (vers. 30).

¡Vaya qué respuesta la del etíope! Cualquiera de nosotros hubiera dicho: "Perdona, pero no entiendo muy bien". Esa sería una respuesta más cortés, ¿no crees? Pero este hombre respondió con otra pregunta, y su respuesta parece un tanto maleducada, pues le dijo:

—¿Y cómo podré entender si no hay nadie que me explique? (vers. 31).

Esa pregunta se escuchó como de alguien que se había molestado y que replica con cierto grado de escepticismo. En otras palabras: "¿Tú crees que alguien puede entender?".

¿Alguna vez te has sentado a leer la Biblia tú solo para no entender nada? "¿Quién ha creído a nuestro anuncio?", dice el Señor (Isaías 53:1).

Felipe, que había sido instruido por los discípulos de Cristo, sintió una fuerte impresión. Entonces, el etíope le pidió que se subiera al carruaje, pues percibía el Espíritu de Dios en él.

Imagino a este hombre rogándole a Felipe: "Explícame, ¡por favor!" Y dice la Biblia que Felipe, empezando con esa Escritura, "le anunció el evangelio de Jesús" (vers. 35).

¿Qué cosa es el evangelio? Es la buena noticia de salvación, y Felipe la compartió con este hombre. Le explicó cómo Cristo vino a morir en nuestro lugar. Cómo, estando él perdido, puede tener esperanza. Cómo es que en Cristo podemos empezar una nueva vida. Cómo Cristo es la respuesta a todas nuestras necesidades, la puerta para entrar en la eternidad, la escalera de Jacob que puede sacarnos del hoyo y llevarnos al cielo. Felipe siguió explicándole cómo en Cristo hay perdón, justificación y redención, y que Cristo

Es posible ser feliz

es el único que tiene el poder de llenar el vacío existencial que llevamos dentro. Todo lo que necesitamos se encuentra en él, puesto que Jesucristo es todo el cielo vaciado en un solo don.

Así que este hombre de Etiopía, mientras iba escuchando la Escritura a través de Felipe, comprendió que Jesús era lo que tanto había buscado, lo que siempre había soñado, el tesoro preciado que él tanto anhelaba. Entonces, en un determinado momento preguntó: "¿Y cómo hago yo para ser parte de Jesús? ¿Cómo ese Jesús puede ser parte mía? ¿Cómo hago para entregarme a él?".

La Escritura no nos dice exactamente qué fue lo que pasó, pero por el contexto inferimos que Felipe le contó a este hombre cuál es la manera de entregarse a Cristo. Cuál era la forma que Jesús había dejado a los seres humanos para que dejen de vivir en el reino de las ideas, y puedan bajar a la tierra a vivir una experiencia concreta, del mundo real. ¿Sabes por qué te digo esto? Porque hay mucha gente que vive imaginando cómo sería la vida con Dios, pero no actúa para vivir esa vida con él.

Cuenta la historia que tres ranitas estaban sobre una rama. Dos de ellas desearon saltar. La pregunta que tengo para ti es la siguiente: ¿Cuántas ranitas quedaron en la rama? ¡Tres! ¿Por qué? Porque dos solo desearon, mas no decidieron. Hay una diferencia enorme entre desear y decidir. La palabra felicidad empieza con "fe", y la fe comienza con una decisión. El deseo no basta. Cientos, miles, millones se perderán la eternidad con Cristo porque *desearon* ser cristianos, pero no *decidieron* serlo. Para que el ser humano deje de vivir en el mundo del ideal y la irrealidad, Dios le pide que pase a la acción, porque la fe tiene el componente de la acción. Nos impulsa a vivir. Por eso, el apóstol escribió: "La fe sin obras es muerta" (Santiago 2:20). La verdadera fe te mueve a actuar, porque la fe comienza con una decisión, o el acto de ejecutar algo.

Para que los seres humanos salieran de la irrealidad, Jesús exhortó a sus discípulos: "Vayan por todo el mundo y prediquen el evangelio a toda criatura; el que creyere y fuere bautizado será salvo" (ver S. Marcos 16:15, 16). ¡Vayan! "¡Hagan discípulos a todas las naciones! ¡Bautícenlos en el nombre del Padre, del Hijo y del Espíritu Santo!" (ver S. Mateo 28:19, 20).

Todo es posible

Entonces, Felipe le habló al etíope acerca de la manera de entregarse a Cristo, que el Señor Jesús llamó "bautismo". Muchos tienen conceptos tergiversados acerca del bautismo. (Al final de este libro hay un estudio completo que te ayudará a entender este tema y te animará a tomar decisiones al respecto.) Seguramente Felipe le enseñó a este hombre la importancia del bautismo y lo invitó a tomar la decisión, porque cuando llegaron a un lugar donde había agua, el eunuco dijo: "Aquí hay agua; ¿qué impide que yo sea bautizado?" (Hechos 8:36).

¿Cómo sabía él del bautismo si nunca antes había leído la Biblia? ¡Ah! Sabía porque Felipe se lo dijo cuando le anunció el evangelio de Jesús. Le explicó que el evangelio no se concreta a menos que lo aceptemos en nuestro corazón. Jesucristo hizo todo para salvarnos, pero necesitamos aceptarlo, y la manera de hacerlo es respondiendo a su invitación con acciones concretas, como esta: "¡Hoy me entrego a Cristo, y pido ser bautizado para la gloria de su nombre!" ¡Eso es aceptar a Jesús!

Entonces, este hombre, que no dejaba pasar las oportunidades porque era un hombre de éxito, vio agua en el desierto y entendió que esa era la oportunidad de Dios, y preguntó: "¿Qué impide que yo sea bautizado?" Felipe no le dijo que le faltaba conocer más de la Biblia, ni que los dirigentes religiosos debían aprobarlo, porque si Dios llama a una persona para que decida su destino, debemos respetar ese llamamiento.

Felipe le respondió: "Si crees de todo corazón", es decir, si estaba dispuesto a poner su vida en armonía con la voluntad de Cristo, entonces podía (vers. 37). Y el etíope dijo: "¡Claro que sí! ¡Creo que Jesucristo es el Hijo de Dios!" La Biblia dice que descendieron ambos al agua y Felipe lo bautizó. ¿Y qué pasó después del bautismo? Hechos 8:39 dice que el eunuco "siguió gozoso su camino". ¿Sabes cuál es la palabra griega que se traduce como gozoso? "χαίρω", "jairo", estar alegre, regocijado, calmadamente feliz. ¿Por qué Lucas, a quien se le otorga la autoría del libro de los Hechos, dice que este hombre siguió su camino feliz? ¡Ah, porque antes no era feliz! La diferencia la hizo Jesús cuando llegó a su vida.

Es posible ser feliz

***

Me encontraba en Battle Creek, Michigan, predicando en una pequeña iglesia de 35 miembros. Era diciembre, y hacía un frío terrible. Había montones de nieve por todas partes y la gente tenía que palearla para poder salir de sus casas. El frío y las condiciones climáticas hacía que poca gente llegara a las reuniones cada noche, entre 17 y 20 personas. Pero me sorprendía ver noche tras noche a un hombre que no tenía vehículo. Llegaba caminando, tomando el autobús cuando se podía transitar o con alguien que lo trajera. Pero allí estaba cada noche.

Aquel miércoles, a mitad de la semana, en el momento en que orábamos para finalizar la reunión, comencé a escuchar llantos con gemidos de dolor. Era aquel hombre que todas las noches llegaba puntualmente a la reunión. Estaba postrado y lloraba amargamente. La congregación se levantó, pero él se quedó allí, compungido.

Cuando terminé de predicar, me paré en la entrada principal de aquella pequeña iglesia para despedir a la gente. Aquel hombre compungido se acercó a mí. Le extendí mi mano, pero él no me la dio, sino que se echó sobre mi hombro para llorar. Y mientras lloraba, temblaba, y entre sollozos me decía: "¡Yo sé que mi Cristo me perdonó!"

Me conmoví, dejé que se desahogara un poco, y cuando se repuso me dijo:

—Pastor, yo sé que el sábado ustedes van a tener un bautismo allá en el Tabernáculo de Battle Creek (un lugar histórico de nuestra iglesia). Yo quiero ser bautizado.

—Me alegro por su decisión —le dije muy contento—, pero, por favor, hable con el pastor de la iglesia, pues yo solo soy un invitado. Estoy aquí para predicar. Él debe saberlo.

El hombre insistió:

—¡Por favor, hable con él!

Cuando iba rumbo a la casa con el pastor Joel Barrios, le comenté sobre la decisión de bautismo de aquel hombre.

—¿Lo conoces? —le pregunté.

—Sí, claro —afirmó el pastor, y me comentó que hacía más de dos meses estaban estudiando la Biblia con él.

Todo es posible

—¡Sí, vamos a bautizarlo! —me dijo.

Me comentó que don Carlos tenía un problema en el corazón, producto de una vida muy desordenada, además de conflictos familiares y otras dificultades. Lo habían amenazado de muerte, e incluso intentaron matarlo, pero misteriosamente la bala no salió del arma. Dios le había preservado la vida. Ahora los médicos debían ponerle un marcapasos, pero su corazón estaba tan débil que decidieron esperar a que se fortaleciera un poco para realizar la intervención quirúrgica.

Además, el pastor Joel me dijo cómo se habían contactado por primera vez con don Carlos. Ocurrió que un miembro de la iglesia trabajaba en el hospital, y un día, mientras realizaba su rutina por las habitaciones, encontró una Biblia sobre la mesita de luz de la habitación de don Carlos, y le preguntó si quería que lo visitara un pastor. Al principio, don Carlos se negó, pero luego accedió. Así comenzó a aprender de la Biblia bajo la instrucción del pastor Joel Barrios. Después que le dieron el alta, siguieron estudiando en su casa.

Llegó el día del bautismo, y allí en el Tabernáculo de Battle Creek tuve la alegría de bautizar a don Carlos. Cuando terminó la ceremonia, el pastor le obsequió una Biblia junto con su certificado de bautismo, y le dijo:

—Don Carlos, le estoy dando esta Biblia, no solo para que la lea, sino también para que la predique.

Don Carlos tomó aquellas palabras como un legado, y apretando la Biblia contra su pecho dijo:

—Pastor, ¡cuente con eso!

Volví a mi lugar de trabajo y días más tarde me comuniqué nuevamente con el pastor, quien me informó que continuaba estudiando la Biblia con don Carlos.

En una de esas tardes de estudio, pocos días después del bautismo, el pastor recibió una llamada. Era el predicador que venía de un pueblo vecino para una de sus iglesias, y tenía un inconveniente. Un familiar suyo había muerto y debía ir al funeral, así que no podría predicar. El pastor tenía ahora un serio problema: no tenía predicador para la iglesia hispana de Battle Creek en el servicio del sábado. Se lo comentó a don Carlos, quien le dijo:

—Pastor, el sábado usted me bautizó y me regaló esta Biblia. Me dijo que no solo era para que la estudiara, sino también para que la predicara. ¿Necesita un predicador? ¡Cuente conmigo! ¡Yo predico!

El pastor le dijo:

—Entiendo su emoción, don Carlos, pero no se preocupe. Yo voy a tratar de resolver esto.

—Pastor, ¡yo predico! —insistió don Carlos. Fue tanta su persistencia, que el pastor llamó a los encargados del servicio de adoración, quienes apoyaron la idea de darle la oportunidad a don Carlos:

—Bueno, si el hombre quiere predicar, que predique —dijeron ellos.

—Muy bien —afirmó el pastor—, pero ustedes se van a sentar cada uno en los extremos de las bancas de enfrente. Si don Carlos comienza a decir disparates, se levantan, lo abrazan, cantan un himno y se acabó el servicio.

—¿Y? ¿qué sucedió? —pregunté, y el pastor Barrios respondió:

—Julio, hacía mucho tiempo que la iglesia no experimentaba una sacudida espiritual tan grande como la del sábado que don Carlos predicó y compartió su testimonio con los hermanos.

—¿Y cómo está su salud? —le pregunté con curiosidad.

El pastor me informó que después de aquel sermón, don Carlos fue al médico para hacerse los respectivos exámenes de rutina. Los médicos le informaron que tenían que volver a repetirlos porque algo estaba mal en los análisis que le habían hecho. Y luego dijeron:

—Don Carlos, usted está enfermo, pero estos análisis dicen que no tiene nada, y no puede ser. Algo salió mal.

Con plena seguridad, don Carlos les respondió:

—Sí, háganme todos los estudios que quieran, pero les voy a decir lo que me pasó. Mi corazón está bien. ¿Saben por qué? Porque me entregué a Cristo, y ¡él me dio un corazón nuevo!

Así fue como Dios intervino en la vida de este hombre, restauró su salud física y espiritual.

Todo es posible

Pasaron unos cuantos meses y volví a Michigan, pero esta vez en verano, a la iglesia de Kalamazoo. Prediqué allí, y al siguiente sábado íbamos a tener otro bautismo en la iglesia de Battle Creek. Estaba en el lugar del bautismo cuando alguien se me acercó. Era un hombre elegante que portaba un maletín. Me miró, y sonriendo me dijo:

—¿Cómo le va, colega?

Era don Carlos.

—¿Colega? —pregunté sorprendido.

—¡Sí! Estoy terminando un curso de evangelista aquí en la Universidad Andrews, y estoy dando mi primera serie de conferencias de evangelización.

Esta es la historia de un hombre que se atrevió a salir del mundo de las lindas ideas acerca de Dios para entrar en la realidad de una experiencia con Jesús, y así alcanzar una vivencia de fe sobrenatural. Este es el testimonio de un hombre al que Dios le dio un nuevo corazón.

Esto sucedió en 2001. Hoy, don Carlos descansa en el Señor. Hasta sus últimos días vivió tomado de la mano de Jesucristo y compartió su amor y su poder transformador con todos los que pudo. Don Carlos se atrevió a decidir creer, y descubrió que la felicidad empieza con "fe"; y que esa fe comienza con una decisión concreta: entregando la vida entera a Jesucristo.

Esta historia no me la contaron. Tampoco la leí en un libro. Yo mismo fui parte de ella. Vi cómo trabajó Jesús en la vida de este hombre, y entendí que con Jesús **¡todo es posible si uno decide creer!**

¿Creerás tú?

Para reflexionar

1. ¿Cómo se convierte un esclavo en un eunuco?

2. ¿Por qué el eunuco no era feliz?

3. ¿Qué milagro realizó Dios con don Carlos?

Conclusión

Hago mías las palabras de Jesús cuando dijo: "De cierto, de cierto te digo, que lo que sabemos, hablamos, y lo que hemos visto, testificamos" (S. Juan 3:11).

He compartido contigo mis experiencias con el Dios sobrenatural. ¡Dios fue, es y seguirá siendo fiel! Ha cumplido sus promesas y me permitió ser testigo de algunos de sus grandes milagros. Si bien es verdad que el cumplimiento de una promesa no necesariamente podría ser considerado un milagro de Dios, muchas veces él obró milagros para cumplir sus promesas. Lo maravilloso de esto es que lo está haciendo contigo también ahora.

Creo que todos tenemos cosas especiales que contar. Algunas son más significativas que otras, pero todas son importantes. Estoy convencido de que todos podríamos vivir una vida llena de experiencias extraordinarias. Pero casi siempre nos distraemos en la rutina y perdemos de vista esas realidades que hacen que cada vida sea única, irrepetible.

Muchas veces, en medio de la magia de Harry Potter, el Señor de los anillos y el despliegue de efectos especiales de la Guerra de las Galaxias, en medio de todo ese mundo de fantasía, nos cuesta mucho asombrarnos de las cosas. Hollywood nos ha robado el privilegio de admirar lo que en verdad merece ser motivo de asombro.

"El asombro es el elemento previo que nos impulsa a la adoración", declara el escritor texano Ken Gire.[1] Los milagros de la Biblia no nos asombran como deberían, porque quizá pensamos que son hechos del pasado. ¿Qué tal si Dios todavía sigue produciendo mi-

Todo es posible

lagros tan reales como los que realizó cuando estuvo en esta tierra, encarnado en la persona de Jesús?

Yo te he contado en este libro algunos prodigios que viví. Y tú dirás, ¿dónde están esos milagros en mi vida? Es probable que te hayas distraído, pero tengo la certeza de que están ocurriendo a tu alrededor, porque todos tenemos una historia que contar, llena de manifestaciones sobrenaturales. Por eso veo cada vida como un milagro, porque lo es. El problema estriba en que nos distraemos con facilidad y se nos va la vida.

Si te detienes un momento a analizar tu vida paso a paso, es imposible que no veas la mano invisible del Dios soberano sosteniéndote, a pesar, o por razón, de lo que somos. Y al verlo actuar en tu pasado y sentirlo en tu presente, avanzarás al futuro con certeza, sabiendo que él va a tu lado.

Por lo tanto, deja que Dios escriba la historia de un nuevo milagro en una página en blanco del libro de tu vida. Ponle nombre a ese milagro y experimenta tú también la realidad de saber que con Jesús ¡todo es posible si uno decide creer!

¡Alabado sea Dios porque ya has creído en su Palabra!

---

1. Ken Gire, *Momentos íntimos con el Salvador* (Miami, Florida: Editorial Vida, 1991), p. 7.

Estudios bíblicos

Estudio 1 ... La Biblia

Estudio 2 ... Dios

Estudio 3 ... La creación

Estudio 4 ... El pecado

Estudio 5 ... La salvación

Estudio 6 ... El bautismo

Estudio 7 ... El regreso de Jesús

Estudio 8 ... La resurrección de los
muertos

Estudio 9 ... La ley

Estudio 10 ... El día de reposo bíblico

Estudio 1
La Biblia

Introducción: Las Sagradas Escrituras fueron escritas por más de cuarenta autores en un lapso de 1.350 años; y aunque los escritores no se conocieron, hablaron de lo mismo. Un Ser superior los guio para que este escrito transcendiera más allá del tiempo y del espacio. La Biblia tiene respuestas a todos los interrogantes existenciales del ser humano.

1. ¿Cómo se describe la Biblia a sí misma?

_____

Hebreos 4:12: "Porque la palabra de Dios es viva y eficaz, y más cortante que toda espada de dos filos; y penetra hasta partir el alma y el espíritu, las coyunturas y los tuétanos, y discierne los pensamientos y las intenciones del corazón".

Nota: La Biblia es el libro magno, capaz de tocar hasta lo más profundo de nuestro ser.

2. ¿Cómo nos habla Dios?

_____

Hebreos 1:1 y 2: "Dios, habiendo hablado muchas veces y de muchas maneras en otro tiempo a los padres por los profetas, en estos postreros días nos ha hablado por el Hijo, a quien constituyó heredero de todo, y por quien asimismo hizo el universo".

Nota: Dios nos habla a través de la Biblia y especialmente a través de Jesucristo.

3. ¿Cuál es el fin que persigue la Biblia?

_____

2 Timoteo 3:15: "Y que desde la niñez has sabido las Sagradas Escrituras, las cuales te pueden hacer sabio para la salvación por la fe que es en Cristo Jesús".

Nota: El propósito principal de la Biblia es presentarnos a Jesús, que nos da salvación.

4. ¿Qué supremo beneficio hay en guardar la Palabra de Dios?

San Juan 14:23: "Respondió Jesús y le dijo: El que me ama, mi palabra guardará; y mi Padre le amará, y vendremos a él, y haremos morada con él".

Nota: Mediante la Palabra viva, Dios mora en los seres humanos

5. ¿Qué produce en nosotros la lectura seria y profunda de la Biblia?

2 Corintios 3:18: "Por tanto, nosotros todos, mirando a cara descubierta como en un espejo la gloria del Señor, somos transformados de gloria en gloria en la misma imagen, como por el Espíritu del Señor".

Nota: Jesús es la gloria de Dios (S. Juan 1:14; Hebreos 1:3). La Palabra de Dios es el reflejo de la gloria de Cristo (S. Juan 5:39). Contemplar a Jesús en la Escritura transforma nuestra vida a su divina imagen.

Resolución: Deseo estudiar la Escritura cada día.

Estudio 2
Dios

Introducción: La Biblia nos habla de Dios. Lo describe y nos lo presenta

1. Según las Sagradas Escrituras, ¿cómo es Dios?

1 Juan 4:8: "El que no ama, no ha conocido a Dios; porque Dios es amor".

Nota: La esencia de Dios es amor. Para él es imposible odiar.

2. ¿Qué nos dice la Biblia acerca de Jesús y de Dios?

San Juan 1:1, 14 y 17: "En el principio era el Verbo, y el Verbo era con Dios, y el Verbo era Dios... Y aquel Verbo fue hecho carne, y habitó entre nosotros (y vimos su gloria, gloria como del unigénito del Padre), lleno de gracia y de verdad... La ley por medio de Moisés fue dada, pero la gracia y la verdad vinieron por medio de Jesucristo".

Nota: La Biblia nos dice que Jesús es Dios, pero Dios estaba con Jesús.

3. ¿Qué nos dice la Biblia sobre el Espíritu Santo?

Hechos 5:3 y 4: "Y dijo Pedro: Ananías, ¿por qué llenó Satanás tu corazón para que mintieses al Espíritu Santo, y sustrajeses del precio de la heredad? Reteniéndola, ¿no se te quedaba a ti? y vendida, ¿no estaba en tu poder? ¿Por qué pusiste esto en tu corazón? No has mentido a los hombres, sino a Dios".

Nota: Pedro identifica al Espíritu Santo como Dios.

4. ¿Qué otra cosa se nos dice del Padre, de Jesús y del Espíritu Santo?

San Mateo 28:19: "Por tanto, id, y haced discípulos a todas las naciones, bautizándolos en el nombre del Padre, y del Hijo, y del Espíritu Santo".

Nota: Cuando Jesús dice "en el nombre" y no "en los nombres", coloca a los tres en un mismo nivel de unidad y esencia. Por este texto y otros más, los cristianos inferimos que Dios es el título que se le da a tres seres co-eternos, co-existentes en sí mismos, iguales en esencia, tiempo y poder.

5. ¿El concepto de la "Trinidad" es exclusivo del Nuevo Testamento?

Génesis 1:26: "Entonces dijo Dios: Hagamos al hombre a nuestra imagen, conforme a nuestra semejanza..." Isaías 48:16: "Acercaos a mí, oíd esto: desde el principio no hablé en secreto; desde que eso se hizo, allí estaba yo; y ahora me envió Jehová el Señor, y su Espíritu".

Nota: Ya en el Antiguo Testamento se tenía una idea de la realidad de la Deidad. Dios es un título con el que se llama a la Deidad en sí o a los integrantes de ella.

Conclusión: Si Dios es tres personas iguales y todopoderosas que están ocupadas en mi salvación, ¡entonces esta es una gran noticia!

Resolución: **Quiero entregarme en las manos del Dios que quiere salvarme**

Estudio 3
La creación

Introducción: De los temas subyacentes de la Escritura, el de la creación de este planeta y el universo es uno de los más importantes.

1. ¿Qué nos dice la Escritura Sagrada en cuanto a la creación?

Génesis 1:1: "En el principio creó Dios los cielos y la tierra".
Nota: La Biblia nos advierte que somos creación de Dios, el diseño de una mente inteligente y no el fruto de la casualidad.

2. ¿Cómo fue creado el ser humano?

Génesis 1:26, 27; 2:7: "Entonces dijo Dios: Hagamos al hombre a nuestra imagen, conforme a nuestra semejanza; ...Y creó Dios al hombre a su imagen, a imagen de Dios lo creó; varón y hembra los creó".
Génesis 2:7: "Entonces Jehová Dios formó al hombre del polvo de la tierra, y sopló en su nariz aliento de vida, y fue el hombre un ser viviente".
Nota: La Biblia dice que fuimos creados a imagen y semejanza del Creador.

3. ¿Cuánto creó el Señor?

Nehemías 9:6: "Tú solo eres Jehová; tú hiciste los cielos, y los cielos de los cielos, con todo su ejército, la tierra y todo lo que está en ella, los mares y todo lo que hay en ellos; y tú vivificas todas estas cosas, y los ejércitos de los cielos te adoran".
Nota: Dios creó la materia, el universo y los organismos vivos. ¡Creó todo!

4. ¿Es el ser humano la única creación inteligente del universo?

Salmo 8:4 y 5: "Digo: ¿Qué es el hombre, para que tengas de él memoria, y el hijo del hombre, para que lo visites? Le has hecho poco menor que los ángeles, y lo coronaste de gloria y de honra". *Nota:* Dios creó seres celestiales a los que llamo ángeles, seres más inteligentes y poderosos que los seres humanos.

5. ¿Qué importancia tiene el reconocimiento de Dios como Creador?

Apocalipsis 4:11: "Señor, digno eres de recibir la gloria y la honra y el poder; porque tú creaste todas las cosas, y por tu voluntad existen y fueron creadas".

Apocalipsis 14:6 y 7: "Vi volar por en medio del cielo a otro ángel... diciendo a gran voz: Temed a Dios, y dadle gloria, porque la hora de su juicio ha llegado; y adorad a aquel que hizo el cielo y la tierra, el mar y las fuentes de las aguas".

Nota: Por ser el Creador, Dios merece nuestra adoración. Fuimos creados para adorar. El reconocimiento de Dios como Creador nos devuelve el propósito de la vida.

Conclusión: Si Dios es mi Creador, entonces fui el diseño de su amor. Por lo tanto, él debe tener un plan para mi vida.

Resolución: **Quiero aceptar el plan de Dios para mi vida**

Estudio 4
El pecado

Introducción: Dios creó el universo, dentro del cual creó los seres celestiales, dotados de libertad. La maldad comenzó cuando la criatura más poderosa se rebeló contra el gobierno divino.

1. ¿Qué dice la Biblia que Dios creó?

Génesis 1:1: "En el principio creó Dios los cielos y la tierra".
Nota: El texto habla de "los cielos", expresión en plural. Dios creó nuestro cielo (la atmósfera), el firmamento de estrellas y planetas (la estratosfera) y un lugar físico llamado "el cielo". Estos son los tres cielos de los que habla la Biblia en 2 Corintios 12:2.

2. ¿Qué hay en ese lugar físico llamado "el cielo"?

Apocalipsis 5:11: "Y miré, y oí la voz de muchos ángeles alrededor del trono... y su número era millones de millones".
Nota: Dios creó millones de millones de ángeles que lo sirven.

3. ¿Qué pasó en el cielo?

Apocalipsis 12:7-9: "Hubo una gran batalla en el cielo: Miguel y sus ángeles luchaban contra el dragón; y luchaban el dragón y sus ángeles; pero no prevalecieron, ni se halló ya lugar para ellos en el cielo. Y fue lanzado fuera el gran dragón, la serpiente antigua, que se llama diablo y Satanás, el cual engaña al mundo entero; fue arrojado a la tierra, y sus ángeles fueron arrojados con él".
Nota: El ángel principal se rebeló contra Dios y fue expulsado del cielo.

4. ¿Quién era ese ángel tan poderoso?

Ezequiel 28:12, 14, 15, 17: "Tú eras el sello de la perfección, lleno de sabiduría, y acabado de hermosura... Tú, querubín grande, protector... perfecto eras en todos tus caminos desde el día que fuiste creado, hasta que se halló en ti maldad... Se enalteció tu corazón a causa de tu hermosura, corrompiste tu sabiduría a causa de tu esplendor".

Nota: El ángel más poderoso se apartó de Dios y su corazón se corrompió. Al separarse de Dios, se desvió de su razón de existir. Allí comenzó el pecado, que significa apartarse de Dios.

5. ¿Cómo se trasladó la rebelión a este planeta?

Génesis 2:16, 17: "Y mandó Jehová Dios al hombre, diciendo: ... Del árbol de la ciencia del bien y del mal no comerás; porque el día que de él comieres, ciertamente morirás".

Génesis 3:6: "Y vio la mujer que el árbol era bueno para comer, y que era agradable a los ojos... y tomó de su fruto, y comió; y dio también a su marido, el cual comió así como ella".

Romanos 5:12: "Por tanto, como el pecado entró en el mundo por un hombre, y por el pecado la muerte, así la muerte pasó a todos los hombres, por cuanto todos pecaron".

Nota: La primera pareja comió del árbol prohibido, y así pecó, desobedeciendo a Dios. Toda su descendencia, entonces, fue infectada con el pecado.

Conclusión: El pecado es separación y rebelión contra Dios. El pecado trae muerte.

Resolución: **Quiero vivir en comunión con Dios, la fuente de vida.**

Estudio 5
La salvación

Introducción: Adán y Eva, nuestros primeros padres, comieron del árbol prohibido y se apartaron de Dios, y el planeta entero debía morir. ¿Qué haría Dios para resolver ese problema?

1. ¿Cuán grave es el pecado?

_____

Romanos 5:12: "Por tanto, como el pecado entró en el mundo por un hombre, y por el pecado la muerte, así la muerte pasó a todos los hombres, por cuanto todos pecaron".
Nota: Dios es fuente de vida. Si nos apartamos de él, recibiremos la muerte.

2. ¿Cómo haría Dios para resolver el grave problema?

_____

Romanos 5:19: "Porque así como por la desobediencia de un hombre los muchos fueron constituidos pecadores, así también por la obediencia de uno, los muchos serán constituidos justos".
Nota: Dios resolvió el problema mediante una sustitución. Dios se encarnó e hizo siendo hombre lo que los hombres no podían hacer.

3. ¿Cómo logran los seres humanos la absolución?

_____

Romanos 3:24: "Siendo justificados gratuitamente por su gracia, mediante la redención que es en Cristo Jesús".
Nota: Dios justifica a los seres humanos por la obediencia y la muerte de Jesús. Él cumplió lo que nosotros no podíamos cumplir y murió la muerte que no queríamos morir.

4. ¿Cómo puedo ser justificado ante Dios?

_____

Romanos 5:1: "Justificados, pues, por la fe, tenemos paz para con Dios por medio de nuestro Señor Jesucristo".

Nota: Somos justificados por la fe en Cristo Jesús.

5. ¿Cómo obtengo la fe?

_____

Efesios 2:8: "Por gracia sois salvos por medio de la fe; y esto no de vosotros, pues es don de Dios".

Nota: La fe es un don de Dios. Don significa regalo.

6. ¿Cómo puedo recibir esa fe como regalo de Dios?

_____

Hebreos 12:2: "Puestos los ojos en Jesús, el autor y consumador de la fe".

Nota: Jesús nos da esa fe cuando lo recibimos como nuestro Salvador.

Conclusión: La salvación tiene nombre; se llama Jesús. Tenerlo a él es tener fe y salvación.

Resolución: Me entrego a Jesús y lo recibo como mi Salvador personal.

_____

Estudio 6
El bautismo

Introducción: La salvación se recibe por la fe, y esta es un don de Dios que me impulsa a vivir en armonía con él. Esa fe nace con la decisión de entregarme a Cristo.

1. **¿Cuál es el rito que expresa que he entregado mi corazón a Jesús?**

_____

S. Marcos 16:16: "El que creyere y fuere bautizado, será salvo". *Nota:* La fe verdadera me impulsa a actuar en concordancia con ella. El bautismo es el resultado de creer, de tener fe en Jesús.

2. **¿Qué representa el bautismo?**

_____

Romanos 6:3, 4: "¿No sabéis que todos los que hemos sido bautizados en Cristo Jesús, hemos sido bautizados en su muerte? Porque somos sepultados juntamente con él para muerte por el bautismo, a fin de que como Cristo resucitó de los muertos por la gloria del Padre, así también nosotros andemos en vida nueva". *Nota:* El bautismo representa la muerte y la resurrección de Jesús, y de los creyentes en él.

3. **¿Cómo se practica el bautismo bíblico?**

_____

Romanos 6:4: "Porque somos sepultados". *Nota:* El bautismo bíblico se celebra por inmersión, quedando "sepultados" en el agua.

4. **¿Existen en la Biblia varias formas de bautismo, o solo existe el bautismo por inmersión?**

_____

Efesios 4:5: "Un Señor, una fe, un bautismo".

Nota: La gente practica diversas formas de bautismo, pero según la Biblia solo hay uno, que es por inmersión.

5. ¿Qué preparación se necesita para el bautismo?

S. Juan 3:3, 5: "Respondió Jesús y le dijo: De cierto, de cierto te digo, que el que no naciere de nuevo, no puede ver el reino de Dios... Respondió Jesús: De cierto, de cierto te digo, que el que no naciere de agua y del Espíritu, no puede entrar en el reino de Dios".

Nota: Jesús comparó el bautismo con un nacimiento. Así como un bebé no hace méritos para nacer, de la misma manera, quien ha de nacer de nuevo solo debe aceptar a Jesús, después de reconocer que necesita de él.

Conclusión: Si bien el bautismo no salva, representa mi aceptación de la salvación, que es Jesús.

Resolución: **Acepto a Jesús como mi único y suficiente Salvador, y quiero expresar mi entrega a él recibiendo el verdadero bautismo por inmersión.**

Estudio 7
El regreso de Jesús

Introducción: En la Biblia hay muchas promesas de Jesús, pero la más significativa es la que asegura que él regresará por segunda vez.

1. ¿Cómo registra la Biblia esta promesa?

_____

S. Juan 14:3: "Y si me fuere y os preparare lugar, vendré otra vez, y os tomaré a mí mismo, para que donde yo estoy, vosotros también estéis".
Nota: Jesús prometió volver por sus seguidores.

2. ¿Cuántos verán su regreso?

_____

S. Mateo 24:30: "Entonces aparecerá la señal del Hijo del Hombre en el cielo; y entonces lamentarán todas las tribus de la tierra, y verán al Hijo del Hombre viniendo sobre las nubes del cielo, con poder y gran gloria".
Nota: La frase "todas las tribus de la tierra" significa que todos lo verán, buenos y malos.

3. ¿Cómo será ese magno evento?

_____

2 Pedro 3:10: "Pero el día del Señor vendrá como ladrón en la noche; en el cual los cielos pasarán con grande estruendo, y los elementos ardiendo serán deshechos, y la tierra y las obras que en ella hay serán quemadas".
Nota: La tierra se conmoverá ante el regreso del Señor.

4. ¿Qué otras cosas sucederán?

_____

1 Tesalonicenses 4:16, 17: "El Señor mismo con voz de mando, con voz de arcángel, y con trompeta de Dios, descenderá del cielo; y los muertos en Cristo resucitarán primero. Luego nosotros los que vivimos, los que hayamos quedado, seremos arrebatados juntamente con ellos en las nubes para recibir al Señor en el aire, y así estaremos siempre con el Señor".

Nota: Será el día del reencuentro con nuestros seres amados que descansan en él.

5. ¿Cuándo vendrá Jesús?

S. Mateo 24:14: "Será predicado este evangelio del reino en todo el mundo, para testimonio a todas las naciones; y entonces vendrá el fin".

Apocalipsis 1:3: "El tiempo está cerca".

Apocalipsis 22:20: "Ciertamente vengo en breve. Amén; sí, ven, Señor Jesús".

S. Mateo 24:36: "Del día y la hora nadie sabe, ni aun los ángeles de los cielos, sino solo mi Padre".

6. ¿Por qué no ha regresado aún?

2 Pedro 3:9: "El Señor no retarda su promesa, según algunos la tienen por tardanza, sino que es paciente para con nosotros, no queriendo que ninguno perezca, sino que todos procedan al arrepentimiento".

Nota: Jesús está esperando la decisión de los que necesitan arrepentirse e ir a él.

Conclusión: A la hora señalada, Jesús volverá. Lo más importante no es cuándo volverá, sino estar preparado para su regreso.

Resolución: Quiero estar listo para encontrarme con Jesús.

Estudio 8
La resurrección de los muertos

Introducción: La muerte llegó a ser parte de la experiencia humana a causa del pecado. Al vencer Jesús el pecado, venció la muerte también. Por lo tanto, los que están con Cristo son vencedores juntamente con él.

1. ¿Cuál es nuestra triste experiencia con la muerte?

_____

Eclesiastés 9:5: "Porque los que viven saben que han de morir"
Nota: Todos sabemos que algún día la muerte llegará.

2. ¿Qué esperanza tenemos ante la realidad de la muerte?

_____

S. Juan 5:24: "El que oye mi palabra, y cree al que me envió, tiene vida eterna; y no vendrá a condenación, más ha pasado de muerte a vida".
Nota: En Jesús hay consuelo y esperanza ante la muerte, y también victoria sobre ella.

3. ¿Cómo venció Jesús la muerte?

_____

Hebreos 2:14 y 15: "Así que... él también participó de lo mismo, para destruir por medio de la muerte al que tenía el imperio de la muerte, esto es, al diablo, y librar a todos..."
Nota: La muerte se enseñorea del que peca. Jesús nunca peco, por eso el sepulcro no lo pudo retener. Él murió por nuestros pecados. Por su perfección venció la muerte.

4. ¿Con qué comparó Jesús la muerte?

_____

S. Juan 11:11 y 13: "Les dijo después: Nuestro amigo Lázaro duerme; más voy para despertarle... Pero Jesús decía esto de la muerte de Lázaro".

Nota: Con su victoria sobre la muerte, Jesús convirtió nuestra muerte en un sueño, donde al pasar por ella, no sentimos nada, y estamos en un estado de inconciencia hasta el día de su regreso.

5. ¿Con qué cuerpo resucitarán los muertos?

_____

1 Corintios 15:42: "Así también es la resurrección de los muertos. Se siembra en corrupción, resucitará en incorrupción".

Nota: Cuando Jesús vuelva a la tierra, los que se entregaron a él en vida y hoy duermen, serán resucitados con un cuerpo incorruptible.

6. ¿Algún día acabará la muerte?

_____

Apocalipsis 21:4: "Enjugará Dios toda lágrima de los ojos de ellos; y ya no habrá muerte, ni habrá más llanto, ni clamor, ni dolor".

Nota: Cuando el conflicto entre el bien y el mal termine, la muerte y el pecado serán destruidos para siempre.

Conclusión: Todos estamos contaminados por el pecado, y por eso estamos sujetos a un cuerpo de muerte; pero Jesús venció, y los que creen en él son vencedores también sobre la muerte.

Resolución: Hoy decido ser fiel a Jesús hasta la muerte.

_____

Estudio 9

Los principios eternos de la ley de Dios

Introducción: Hay quienes interpretan que la Ley de Dios está abolida, que ya no sirve y que fue dada a un pueblo del pasado, y que hoy los cristianos no necesitan obedecerla.

1. ¿Cómo es la ley de Dios?

_____

Romanos 7:12: "De manera que la ley a la verdad es santa, y el mandamiento santo, justo y bueno".
Nota: La ley contiene los mandamientos de Dios.

2. ¿Cuáles son esos mandamientos?

_____

Ver Éxodo 20:3-17.
Nota: Dios le dio a Moisés los Diez Mandamientos, pero los principios de la ley existían desde la eternidad.

3. ¿Son eternos los principios de la ley de Dios?

_____

Salmo 111:7 y 8: "Fieles son todos sus mandamientos, afirmados eternamente y para siempre".
Nota: Los principios de la ley de Dios son eternos, porque son la esencia del carácter del Creador.

4. ¿Qué otras características encuentras en la ley de Dios?

_____

Romanos 7:12: "El mandamiento santo, justo y bueno".
Nota: La ley es un reflejo del carácter de Dios, ya que Dios es santo, justo y bueno. Los principios de la ley son eternos, porque Dios es eterno.

5. ¿Qué dijo Jesús sobre la ley?

S. Mateo 5:17 y 18: "No penséis que he venido para abrogar la ley o los profetas; no he venido para abrogar, sino para cumplir. Porque de cierto os digo que hasta que pasen el cielo y la tierra, ni una jota ni una tilde pasará de la ley".

Nota: Ni siquiera Jesús se atrevió a cambiar la ley. Él vino a cumplirla.

6. La Biblia habla de vivir por la fe. ¿La fe es contraria a la ley?

Romanos 3:31: "¿Luego por la fe invalidamos la ley? En ninguna manera, sino que confirmamos la ley".

Nota: La fe me lleva a vivir en armonía con los mandatos de Dios, no para salvarme, porque la salvación es por gracia. Pero la gracias me transforma para vivir en comunión con Dios y glorificarlo con mi obediencia.

Conclusión: La ley es el reflejo del carácter de Dios, y el propósito de Dios es salvarnos y restaurarnos a su imagen. Por tal razón, la comunión con él me lleva a vivir en armonía con su santa ley, y eso no es otra cosa que vivir los principios de su reino.

Resolución: Le pido a Dios que me ayude a vivir en armonía con los principios del reino.

Estudio 10
El día de reposo bíblico

Introducción: Está confirmado científicamente que es muy saludable para el ser humano descansar un día de la semana. Dios lo supo siempre, y por eso nos regaló el día de reposo.

1. ¿Qué dijo Jesús acerca de esto?

_____

S. Marcos 2:27: "El día de reposo fue hecho por causa del hombre, y no el hombre por causa del día de reposo".

Nota: Jesús mencionó que el día de reposo "fue hecho" para beneficio del hombre.

2. ¿Cuándo fue designado el día de reposo?

_____

Génesis 2:2, 3: "Y acabó Dios en el día séptimo la obra que hizo; y reposó el día séptimo de toda la obra que hizo. Y bendijo Dios al día séptimo, y lo santificó, porque en él reposó de toda la obra que había hecho en la creación".

Nota: Desde el comienzo de la vida en este mundo Dios le dio a la humanidad un día de descanso.

3. ¿Qué día de la semana fue ese día de reposo hecho por Dios?

_____

Éxodo 20:10: "Más el séptimo día es reposo".

Nota: En el pasado, el séptimo día era el único que tenía nombre; se lo llamaba sábado, porque "sábado" proviene de una expresión hebrea que significa "reposo".

4. Además de descanso, ¿qué otro propósito tenía ese día de reposo?

_____

Éxodo 20:8: "Acuérdate del día de reposo para santificarlo".

Nota: Fuimos creados para adorar. El verdadero reposo no consiste solo en descansar físicamente, sino en adorar a Dios, que es la fuente de vida y fortaleza. El reposo que necesitamos se encuentra en Dios.

5. El sábado es día de reposo. Pero, ¿el verdadero reposo se agota en la observancia del séptimo día de la semana?

S. Mateo 11:28: "Venid a mí todos los que estáis trabajados y cargados, y yo os haré descansar".

Nota: El verdadero descanso se encuentra en Jesús; pretender descansar el sábado sin estar conectado con él es un esfuerzo infructuoso.

6. ¿El sábado sigue siendo el día de reposo de Dios?

Isaías 66:22 y 23: "Porque como los cielos nuevos y la nueva tierra que yo hago permanecerán... así permanecerá vuestra descendencia... Y de día de reposo en día de reposo, vendrán todos a adorar delante de mí, dijo Jehová".

Nota: El sábado no solo sigue siendo hoy el verdadero día de reposo, sino que lo será por toda la eternidad.

Conclusión: Hay un sinnúmero de pasajes bíblicos que nos exhortan a observar el día sábado como día de reposo. Observarlo es para nuestro beneficio físico, mental y espiritual. En su observancia encontramos el propósito para nuestra vida.

Resolución: **Deseo vivir en comunión con Dios, observando su día de reposo.**

UNA INVITACIÓN PARA USTED

Si este libro ha sido de su agrado, si las historias presentados le han resultado inspiradoras, lo invitamos a seguir explorando los principios divinos para una vida provechosa y feliz. Hay miles de congregaciones alrededor del mundo que comparten estas ideas y estarían gustosas de recibirle en sus reuniones. La Iglesia Adventista del Séptimo Día es una iglesia cristiana que espera el regreso del Señor Jesucristo y se reúne cada sábado para estudiar su Palabra.

En los Estados Unidos, puede llamar a la oficina regional de su zona o escribir a las oficinas de la Pacific Press para recibir mayor información sobre la congregación más cercana a usted. En Internet puede encontrar la página de la sede mundial de la Iglesia Adventista en www.adventist.org.

OFICINAS REGIONALES

UNIÓN DEL ATLÁNTICO
400 Main Street
South Lancaster, MA 01561-1189
Tel. 978/368-8333

UNIÓN DE CANADÁ
1148 King Street East
Oshawa, Ontario L1H 1H8
Canadá
Tel. 905/433-0011

UNIÓN DE COLUMBIA
5427 Twin Knolls Road
Columbia, MD 21045
Tel. 410/997-3414 (Baltimore)
Tel. 301/596-0800 (Washington)

UNIÓN DEL LAGO
P.O. Box 287
Berrien Springs, MI 49103-0287
Tel. 269/473-8200

UNIÓN DEL CENTRO
8307 Pine Lake Road
Lincoln, NE 68516-4078
Tel. 402/484-3000

UNION DEL NORTE DEL PACÍFICO
5709 N. 20th Street
Ridgefield, WA 98642-7724
Tel. 360/857-7000

UNIÓN DEL PACÍFICO
2686 Townsgate Road
Westlake Village, CA 91361-2701
Tel. 805/413-7100

UNIÓN DEL SUR
3302 Research Drive
Peachtree Corners, GA 30010
Tel. 770/408-1800

UNIÓN DEL SUROESTE
777 South Burleson Boulevard
Burleson, TX 76028-4904
Tel. 817/295-0476